Katarzyna
Grochola
Serce
na temblaku

Katarzyna Grochola

Serce na temblaku

W każdej chwili możemy
wznieść się ponad siebie
i zacząć wszystko od
nowa.
(ks. Józef Tischner)

Tego Ci życzę brazylko
z całego serca
Baśka

Warszawa

Krosno 10. XI 2006r

Mojemu Ojcu,
Mojemu Bratu

Pędzel

Nawet mi się nie śniło, a może zapomniałam, że życie z mężczyzną może być tak wyczerpujące. A życie z Adamem wymaga ode mnie znacznie więcej uwagi, niż dotychczas sobie wyobrażałam. Na przykład nic nie mogę znaleźć. Oczywiście, że kiedy mieszkałyśmy same z Tosią, też czasami nie mogłam nic znaleźć, a były to bluzki albo spódnice, albo czarne spodnie, które są na mnie za ciasne, albo mój tusz do rzęs, albo moje cienie, a jak już w końcu coś znajdowałam, to u niej w pokoju.

Nie zamierzam, Boże broń, insynuować, jakoby Adam podprowadzał mi moją garderobę lub tusz do rzęs. Nie. Tutaj Tosia dzielnie dzierży palmę pierwszeństwa i na pewno jej nikomu nie odda. Ale nie miałam pojęcia, że pędzel z borsuka zmieni tak bardzo moje życie. I codziennie będzie mi uświadamiał, że, doprawdy, mam anielską cierpliwość do tego mężczyzny.

Ale po kolei.

Minęło już parę miesięcy od czasu, kiedy pędzel do golenia pojawił się w mojej łazience, a wraz z nim Adam, zwany Niebieskim. Z pędzlem i Adamem przybył też drugi komputer, zupełnie zbędne narzędzia w rodzaju piły skośnej elektrycznej, piły tarczowej, szlifierki i mnóstwa innych narzędzi, których nazw nawet nie staram się nauczyć. Nie wiem, po co socjologowi piła i szlifierka. I jeszcze parę innych rzeczy poprzywoził, a to ubrania męskie, a to książki, a to papier ścierny, a to cały barek dobrych alkoholi, z tym że tu się bardzo ucieszyłam, bo Ula też lubi dobre alkohole.

Do pędzla przywiązuję wagę nadzwyczajną, bo jak mawia nasza nowa sąsiadka Renia, dopóki mężczyzna nie przyniesie do ciebie przyrządów do golenia, jesteś dla niego nikim.

Renia wprowadziła się pod koniec lutego do domku pod lasem, który budował się od jakichś siedmiu miesięcy. Domek, dobre sobie! Domek ma trzysta dwadzieścia metrów kwadratowych w parterze i niewykończoną górę. Renia natomiast ma wykończonego budową męża, który sprawia miłe wrażenie, ma też piękne, rude włosy do ramion, psa rottweilera, który sprawia wrażenie wprost przeciwne niż mąż Reni. Renia jest osobą bardzo zajętą, ponieważ zajmuje się domem. W tym celu ma jedną pomoc domową do gotowania, drugą panią do sprzątania w poniedziałki i piątki, samochód terenowy. No i Renia cierpi na brak czasu.

Od kiedy Renia zagościła w naszym wiejskim pejzażu, życie nabrało barw bardziej zdecydowanych, rudoczerwonych. Renię polubiłyśmy z Ulą bardzo, choć i Krzyś, i Adam na jej widok znikają, ale może to lepiej, bo Renia jest naprawdę atrakcyjna.

Więc (nigdy nie zaczynaj zdania od więc – jak mawia Moja Mama), więc kiedy Renia powiedziała mi o tych przyrządach do golenia i o tym, że szczoteczka do zębów to przyrząd przenośny i nawet ona w swoim terenowym ma szczoteczek parę, bo przecież nie wiadomo, co się może stać – zrozumiałam, że nie jestem dla Adama nikim, tylko kimś nadzwyczajnym.

Ale dzisiaj znowu bym się spóźniła przez ten pędzel od borsuka. Pędzla nie tykam, choć kupiłam mu go na imieniny, więc jest trochę jakby mój, ale krem do golenia to co innego, i nie wiem, dlaczego Niebieski krzyczy, że mu zużywam, skoro się umówiliśmy, że mogę. A ja nie krzyczę, ja za to nic nie mogę znaleźć na swoim miejscu, bo on chowa różne użyteczne rzeczy tam, gdzie nigdy bym nie wpadła, że mogą być schowane.

Na przykład dzisiaj rano. Mam spotkanie w sprawie wspaniałego interesu, który odmieni moje życie, z Bardzo Ważną Osobą. Osoba nazywa się Ostapko i jest niezwykle przedsiębiorcza. Ale nie zapeszam...

On zostaje w domu, bo robi badania. Jak Adam robi badania, to znaczy, że będzie się szwendał po domu, aż mu się znudzi, potem wyjdzie do ogrodu i skosi trawę, walnie sobie piwo z Krzysiem i będzie leżał w hamaku. I będzie myślał oczywiście.

A ja muszę pracować! Nie jest to sprawiedliwe, ale Adam mówi, że życie w ogóle nie jest sprawiedliwe.

Ale wracam do sedna sprawy. Sedno jest takie, że mam trzy minuty do kolejki, wpadam do pokoju, sięgam ręką na półkę z dramatami, na której obok kamieni z Cypru powinny stać moje perfumy. Nie stoją. Więc krzyczę:

– Gdzie, do cholery, są moje perfumy?

I wtedy z góry słyszę krzyk Tosi:

– Nie krzycz! Nie brałam!

– Przecież nie mówię, że brałaś – krzyczę – tylko pytam spokojnie!

– Nie pytasz, tylko oskarżasz! – krzyczy Tosia. – Ja cię znam!

– Jeśli tak mówisz, to znaczy, że brałaś! – krzyczę.

Tosia trzaska drzwiami na górze, Adam krzyczy z ogrodu :

– Dlaczego krzyczysz na Tosię?

Obudzi całą wieś! Która zresztą nie śpi, bo jest przed ósmą. Biegnę do okna, otwieram szeroko – jaki piękny dzień, słońce stoi wysoko nad brzozami, przecież to już maj, więc krzyczę przez okno:

– Czego tak krzyczysz, przecież ludzie chcą spać!

Adam macha na mnie ręką. Coś podobnego – parę miesięcy wspólnego mieszkania i już na mnie macha – i krzyczy:

– Nie słyszę!

Trochę go to usprawiedliwia, ale krzyczę:

– Widziałeś moje perfumy?

Ula wychyla się z okna i krzyczy:

– Dzieńdoberek!

Adam krzyczy z ogrodu:

– Cześć, Ula! – I do mnie: – Są na swoim miejscu!

Krzyczę do Uli:

– Cześć, przepraszam, że krzyczę, ale nie mogę znaleźć perfum!

Ula krzyczy ze zrozumieniem:

– Aha! To zapytaj Tosię!

Tosia krzyczy przez okno:

– Ja już mówiłam, że nie brałam!

Krzyczę do Adama:

– Nie ma!

Adam krzyczy:

– Sprawdź, sam kładłem!

Cofam się do pokoju, rzucam okiem jeszcze raz na półkę – proszę bardzo, Witkacy jest, o! Hemar się znalazł!, szesnaście kamieni, dzban na nalewki, kasety magnetofonowe, które powinny być zupełnie gdzie indziej, ale jeszcze nie wiem gdzie, a perfum nie ma.

Jestem zrozpaczona, muszę wyglądać oraz pachnieć jak kobieta interesu, a przez ten pędzel od borsuka nie znajdę perfum.

– Adam!

– Są na swoim miejscu!

– A gdzie mają swoje miejsce? – Inteligencja dała o sobie znać równocześnie z gwizdem kolejki.

Właśnie odjeżdżała.

Biegnę do komórki. Oczywiście mam rację. Niebieski z czarnymi rękami grzebie przy kosiarce. Badania socjologiczne!

— Ty — mówię. — Dlaczego ruszałeś moje perfumy?

— Ty — mówi Adaśko. — Położyłem na półeczce w łazience.

W łazience! W łazience! W życiu nie trzymałam perfum w łazience! W łazience jest tyle innych rzeczy! Dlaczego tam mają stać jeszcze perfumy, które muszę mieć pod ręką, gdy sobie w ostatniej chwili przypominam, że mam być elegancką kobietą? I przecież w tej ostatniej chwili nie jestem na ogół w łazience!

Tak oto przez pędzel z borsuka w łazience spóźniam się na kolejkę.

Tosia wybiega do szkoły.

Jestem wściekła.

Adam mnie przytula tymi swoimi czarnymi łapami.

— Nie możesz jechać później?

Nie, absolutnie nie mogę, niech mnie w tej chwili odwozi, przed spotkaniem z Ostapko mam być jeszcze w redakcji, wściekną się, ale już, chociaż co prawda nieczęsto się zdarza, żebyśmy byli sami, zupełnie sami, i naprawdę to jest bardzo przyjemne, tak się trochę w tej komórce poprzytulać, ale natychmiast muszę wychodzić, czeka na mnie Naczelny oraz Ostapko, to jest bardzo ważna rozmowa, nie mogę w ogóle się spóźnić, ani minuty dłużej w tej komórce, Adam wchodzi do domu, bierze kluczyki, troszkę oczywiście go mogę pocałować, co mi szkodzi, dwie minuty nie zrobią różnicy, poza tym mogę wziąć samochód ewentualnie, jakby mi się znowu tak bardzo spieszyło, ale przecież nie pali się, zupełnie się nie pali...

*

Właściwie spokojnie mogę pojechać następną kolejką.

*

Albo jeszcze później.

Jest interes do zrobienia

Siedzę sobie w tej kolejce swojej ulubionej i zdecydowanie jestem szczęśliwa. Tyle dobrych rzeczy przydarzyło mi się w ciągu ostatniego roku. Co prawda nie pamiętam prawie, jak wygląda Ula, bo teraz mam zdecydowanie mniej czasu. Cały dom na głowie. I mężczyznę. Adam nie lubi pizzy, więc odpadły szybkie obiady z najbliższej pizzerii. Tosia jest zadowolona, ja mniej. Ale na ogół przyjemnie jest pichcić dla kogoś, kto jest tym zachwycony. I przyjemnie jest sobie z Adaśkiem posiedzieć w samotności – oczywiście względnej, bo przecież czasem do nas zajdzie Tosia z góry, jak sobie przypomni, że ma matkę. A najlepsze z tego wszystkiego jest to, że Adaśkowi w ogóle nie przeszkadza, że wyglądam tak, jak wyglądam, że Tosia bez przerwy czegoś od niego chce oraz że czasami trzeba wlać kreta w urządzenia sanitarne.

Tylko mniej mi się zrobiło czasu dla świata. Mańki nie widziałam od Bóg wie kiedy, Ulę przynajmniej przez płot czasami złapię i pogadamy chwileczkę, Renia wpadnie raz na jakiś czas, ale poza tym... Z Agnieszką nie plotkowałam od miesięcy. Mężczyzna jest bardzo czasochłonny. Zupełnie o tym nie pamiętałam.

Dzisiaj skorzystam z okazji, że jestem w mieście, i spotkam się z Ostapko. To kapitalna dziewczyna, którą poznałam kiedyś w redakcji. Drobniutka, szarutka, o wesołej twarzy, bez przerwy zabiegana, coś robiła, coś jej nie wychodziło, zaczynała coś następnego, mieszkała kątem u znajomych, niesamowicie dzielna. A tydzień temu spotkałam ją przypadkiem po dłuższym niewidzeniu. Ludzie święci! Nie poznałam jej! Jak Feniks! Ktoś na mnie trąbnął na ulicy. Myślę sobie, świat nie jest do końca zły, jeśli na mnie jeszcze ktoś trąbi (na chodniku byłam). Nie odwróciłam się dumnie, bo co będę reagować na zaczepki, ale serce mi zaczęło pikać z radości. Trąbienie nie ustawało, a ja poczułam, jak prostują mi się plecki, a krok robi się sprężysty, co tu będę udawać. Dopóki się nie odwróciłam, udając zniecierpliwienie. I wtedy zobaczyłam Ewę. W jakim samochodzie! Nie znam się na samochodach, dopiero niedawno Adam, zaśmiewając się z mojej nieprawdopodobnej ignorancji, wytłumaczył mi, na czym polega różnica między sedanem a hatchbackiem. Zupełnie przypadkowo weszliśmy do salonu Nissana – stary opel Adama się rozlatuje. Weszliśmy, rzecz jasna, nie żeby kupić, kogo stać na taki samochód, ale żeby obejrzeć. I w jednym salonie zobaczyłam naraz trzy marki – Nissana, Sedana i Hatchbacka. Najbardziej mi się podobała ta trzecia – ale Adam dostał ataku śmiechu i musieliśmy wyjść. Całą drogę do domu tłumaczył mi, że sedan to wygląd taki samochodziasty, a hatchback to ścięty tył w każdej marce. Potem długo mówił o koniach i ich stosunku do pojemności, mocy, ABS, ASR, ESP itd. Wcale mnie to nie bawiło. W dalszym ciągu uważam, że w samochodzie najbardziej liczy się kolor.

W każdym razie wylądowałam z Ewą w knajpie. Mieszkanie wynajęte, samochód jej, ciuchy, że matko moja! Zupełnie niezależna finansowo osoba! A ja od Adama dostaję na rachunki, na całe szczęście zresztą. Bardzo byłam ciekawa, co to za praca, bo przecież nie z pensji redaktora. Ewa powiedziała, że to skutek dobrego inwestowania, pospłacała długi i myśli o wpłacie pierwszej raty na mieszkanie. A potem popatrzyła na mnie i powiedziała:

– Jeśli chcesz, mogę cię w to wprowadzić.

Ale oczywiście wcale nie chcę. Wystarczy mi to, co mam. Słyszałam o piramidkach i cudownych interesach, które potem się latami spłaca. Nie jestem idiotką. Ale Ewa przysięgła mi, że to nie żadna sieć bezpośredniej cudowności ani piramida, po prostu ma znajomego w Berlinie, który jest maklerem. I dobrze inwestuje.

Poza tym Adam na pewno byłby przeciwny takim cudom. On stoi mocno na ziemi. Ale spotkam się dzisiaj z Ostapko, bo skoro i tak będę w Warszawie, to co mi szkodzi. I miło popatrzyć na osobę, której się powiodło.

*

W redakcji jestem o trzynastej. Okazuje się, że notes z telefonami zostawiłam w domu, bo szukałam biletów na kolejkę i wszystko z torebki wyrzuciłam na stół. Ale nie wszystko z powrotem schowałam. Dzwonię do domu. Muszę przed czternastą skontaktować się z Ostapko! Od tego zależy moja przyszłość!

Ach, jaki on ma miły głos, ten mój Niebieski! Rzucam okiem na drzwi od pokoju, i szepczę w słuchawkę.

– Znajdź mi Ostapko.

Adam mówi:

– Nie ma.

Ja mówię:

– Leży na stole.

Adam mówi:

– Przeceniasz mnie. Słowo daję, że nie leży.

– Notes – mówię.

– Jest! – mówi ze zdumieniem.

Idiota. Przecież mówiłam, że jest na stole. Przez chwilę w słuchawce słyszę tylko szelest kartek.

– Nie ma pod O.

Ja mówię:

– Oczywiście, że nie ma pod O.

Chyba nie jestem głupia, żeby obcą osobę, do której miałam tylko raz zadzwonić w bardzo pilnej sprawie, pakować pod O, które już jest wypełnione do cna przez znajomych, którzy są na O.

Adam:

– To gdzie może być?

Logiczne jest, że matkę mam pod M, ojca pod K – kancelaria, brata pod S – bo tam mieszka, hydraulika pod W – jak woda, wodociągi pod P – projekt. Pedikiurzystkę mam albo pod N – nogi, albo pod G – Gośka, albo pod M – Małgośka, albo pod Z – zakład kosmetyczny, nie pamiętam dokładnie, ale jakie to ma znaczenie, skoro zawsze ją znajduję, gazownię pod X – bo tam było dużo wolnego miejsca. Więc Ostapko może być pod X albo Inne.

Adam mówi, żebym zadzwoniła za dziesięć minut, to może zdąży przeczytać cały mój notatnik z telefonami i zapoznać się z moim wyjątkowo rozczulającym sposobem prowadzenia notatek.

Nie chcę, żeby czytał cały! Ale muszę mieć telefon Ostapko. Odkładam słuchawkę i patrzę na zegarek. Mózg mój pracuje na przyspieszonych obrotach. Ostapko pracowała kiedyś w ,,Expressie Porannym", to może być pod P. Albo pod G – gazeta, albo pod R – redakcje. Co prawda poznałam ją dzięki Agnieszce – to może być pod A. Chociaż Agnieszka nie jest pod A, tylko pod G – Grześki. To Ostapko może też być pod G. A nawet na pewno.

Dzwonię do domu, żeby powiedzieć Adamowi, gdzie ma szukać.

Zajęty!

Z kim on, do cholery, gada, jak ja czekam i czekam już chyba ze dwie godziny?

Dzwonię. Zajęty.

Wchodzi Naczelny i pyta, kiedy dostanie odpowiedzi na listy i czy wychodzę i gdzie, i czy wiem, że Napoleon chorował na taką chorobę, co to zmniejsza się i zmniejsza penis męski. Pierwsze słyszę i wykazuję chorobą Napoleona należne zainteresowanie, żeby odwrócić jego uwagę od pierwszych dwóch pytań. Jednak prawdą jest to, co twierdzi Renia – zwróć uwagę na penisa, a zapomną o wszystkim innym.

Okazuje się, że Naczelny przeczytał, że penis Napoleona miał dwa i pół centymetra. Zauważam uprzejmie, że to więcej niż średnia krajowa. Naczelny rozbawia się niemożebnie i mówi, że zawsze mu się miło ze mną rozmawia. O listach już nie wspomina. Zamyka za sobą drzwi, a ja rzucam się do telefonu.

Dzwonię.

Zajęty.

Zabiję go, jak wrócę do domu. Gdyby pędzel z borsuka nie stał w łazience, mój telefon nie byłby zajęty i mogłabym sobie spokojnie do siebie dzwonić! W porę sobie przypominam, że jednak mężczyzna w domu się przydaje – na przykład zaraz mi poda numer do Ostapko oraz skosi trawnik.

No i są jeszcze noce. Dużo powyżej średniej krajowej. Trochę się rozmarzam i wtedy dzwoni telefon. Adam!

– Boże, z kim ty tyle czasu gadałeś?

– Próbowałem się do was dodzwonić – mówi rozkosznie. – Ale cały czas zajęte. Ostapko nie ma pod żadną literą w twoim notesie. Kto to jest H.M.?

O, psiakrew. To ja Hireczka nie wykreśliłam jeszcze na zawsze? To nie jest wygodne pytanie.

– Nie wiem – mówię słodko. – Może hydraulik.

– Hydraulików masz pod W. Dlaczego same inicjały?

– To pewno jakiś skrót – mówię. – Już dawno nieważny.

– A pod K masz Kochany Miś. Kto to jest Kochany Miś?

No wiecie, ludzie! Tak mnie sprawdzać? Nie po to jesteśmy razem, żebym była cały czas pod kontrolą! Kochany Miś? Nie mam pojęcia.

– Dlaczego ty mi grzebiesz w moich prywatnych rzeczach – postanawiam się zdenerwować. – Ostapko może być pod...

– Nie ma! Rozumiesz! Nie ma. Pod żadną literą. Za to jest dużo innych skrótów, na przykład – Szymon N. Kto to jest Szymon N.?

– Słuchaj, nie mogę z tobą rozmawiać w tej chwili, jestem w pracy, na miłość boską!

– A Hrabia? – Adam staje się dociekliwy. – To ten od jaj?

I wtedy sobie przypominam, że Ostapko jest pod E – bo ma na imię Ewa i na pewno nie zanotowałam nazwiska, żeby mi się nie pomyliło z innymi Ewami.

I oczywiście mam rację. Adam wzdycha i podaje mi numer.

– Masz trochę bałaganu w tym notesie – słyszę na koniec.

No wiecie, ludzie! Ja i bałagan! Przecież dokładnie wiem, co gdzie jest! Tylko troszkę się muszę zastanowić. Kiedyś postanowiłam zrobić porządek. Nic nie mogłam znaleźć! A on sobie spokojnie w domciu kosi trawkę i leży na słoneczku, i jeszcze mi robi uwagi – mężczyzna! Zupełnie jak, nie przymierzając, Moja Mama. Albo Mój Ojciec! Oni też uważają, że mam bałagan.

Wyłącza się, a ja dzwonię do Ewy Ostapko. Umawiamy się o szesnastej. A teraz, no cóż, muszę wziąć się do roboty i sprawdzić, która komisja wojskowa przyjmie pismo od rodziców zrozpaczonego Roberta G. z Pruszcza, który absolutnie do wojska się nie nadaje, i droga redakcjo, pomóż!

Dzwonię do Adama, żeby podał mi telefon do geodety, to zdążę załatwić mapkę. Geodeta jest pod U – Urząd Gminy. Geodeta może szybciutko zrobić mapkę, ale jutro wyjeżdża na urlop, więc mapkę trzeba dzisiaj odebrać. Więc dzwonię do Adama, żeby wsiadł w samochód i pojechał po tę cholerną mapkę. I przy okazji zrobił zakupy. Wiem, że się szwenda po domu, udając, że pracuje, ale ostatecznie ja też się nie obijam.

Do spotkania z Ostapko półtorej godziny, a ja nie mam co ze sobą zrobić. Kupka listów przede mną, przeglądam.

Droga Redakcjo,
całe swoje umiejętności wkładam w podłogi, ale mąż
tego nie docenia. A i w pracy mam opinię, na którą
nie zasługuję. Weźmy taki dzień, był to poniedziałek,
jak dziś pamiętam, bo do niedzieli wieczór...

Nie, to bez sensu. Wolę pracować w domu, w redakcji mnie wszystko rozprasza. Ten wiecznie dzwoniący telefon! I rozmowy, i w ogóle! Tym bardziej że jestem sama i nie ma do kogo gęby otworzyć. To nie są warunki do pracy. Może skoczę do Mojej Mamy? Głupio się umówiłam z Ewą, cały dzień zmarnowany, a Adam tam sobie siedzi sam w domciu i jest mu przyjemnie.

Znów dzwoni telefon.

Jola!!! Od Tego od Joli. Że chciałaby przekazać alimenty (?) w imieniu Tego od Joli, bo on taki zapracowany, i czy możemy się spotkać, bo jej bardzo zależy. No wiecie, ludzie! Wszystkiego się mogłabym spodziewać, ale nie tego, że wyskoczę na przyjemny lanczyk z tą od Eksia. Nie widziałam jej od czasu, kiedy maszerowała z brzuszkiem i, niestety, wyglądała znakomicie. Nie wiem, dlaczego była żona ma się spotykać z teraźniejszą kobietą jego życia, która i tak jest przyszłą byłą. Ale tak dobrze jej nie życzę, o nie. Niech się z nim męczy do końca świata.

– Mam nadzieję, że nie sprawi to pani różnicy, bo mąż wyjechał i prosił...

Ależ skądże. Jaka to różnica, on czy ona. Na oko żadna. Podobna do niego jak dwie krople wody.

Nie do odróżnienia. Nie jest w stanie mi zaszkodzić. A więc pójdę na bardzo przyjemny lanczyk.

Ledwie zobaczyłam ją w drzwiach, wiedziałam, że się przeliczyłam. W pasie ma z sześćdziesiąt, i to po dziecku. Rączki jak pączki, gładziuchne. Paznokcie wypielęgnowane. Jest *cool*. Choć chyba oczka lekko podkrążone. Niestety, wydawało mi się. Nic na to nie poradzę, że nie przepadam za nią.

– Dzień dobry, jakże mi miło, przepraszam, ale łatwiej mi osobiście, mąż prosił, żebym dopilnowała, a nie mogę skontaktować się z Tosią.

Żmija. Niech zostawi moje dziecko w spokoju. Z Tosią to i ja się nie mogę skontaktować, bo koniec roku niedaleko i bez przerwy się uczy, głównie u koleżanek.

Kładzie na stoliku kopertę, którą skrzętnie chowam. Wcale nie mam ochoty na rozmowę, na cholerę zgodziłam się z nią spotkać, sama nie wiem. Chyba mnie odmóżdżyło.

– ...I w związku z tym ja do pani jak do matki...

O mały włos nie udławiłam się tuńczykiem. Chyba nie jej matki, na litość boską!

– Bo przecież państwo też mieliście dziecko – Jola patrzyła na mnie tymi swoimi niewinnymi oczami.

Jakoś nie myślałaś o tym wcześniej, flądro jedna. Nic cię nie obchodziło, że maleńkiemu dziecku zabierasz tatusia, który zresztą i tak nie miał dla niego nigdy czasu.

Właściwie od momentu rozwodu Tosia z nim więcej przebywa niż wcześniej. Właściwie ten rozwód to nie był taki zły pomysł. Właściwie niepotrzebnie się złoszczę na Jolę. To przecież dzięki niej jest Adaśko.

Ale przed oczami pojawiły mi się wszystkie sceny z moich ukochanych filmów, kiedy zła kobieta źle kończy – wpada do morza z samochodem ze skały, płonie w zamku, który się zapada w bagno, wypija truciznę, którą przygotowała komu innemu – więc uśmiechnęłam się uroczo i zapytałam, w czym mogę pomóc.

– Tak sobie pomyślałam, że skoro animozje między nami należą do przeszłości, to zwrócę się do pani jak kobieta do kobiety. Bo pani go jednak lepiej zna... – wyszeptała Jola, i z przykrością zauważyłam, że szyję miała pierwszej świeżości. – Chciałam zapytać, czy jak urodziła się Tosia, to on też... Co pani zrobiła, żeby go zatrzymać w domu?

– Jak pani najlepiej wie, nie zatrzymałam go na długo. – Patrzyłam na Jolę z zainteresowaniem. – Pojawiła się pani.

Na całe szczęście.

– Ale przecież my... to znaczy... wie pani... Przecież ja prowadzę dom, prawie z nikim się nie widuję, naprawdę ma wszystko, czego mu potrzeba... A jak urodziła się Tosia... on znikał od razu? – Jola była przerażona.

Niestety, było jej z tym bardzo do twarzy.

– Bo wie pani, ja o siebie dbam, i w ogóle... Wszyscy się dziwią, że tak szybko wróciłam do formy po dziecku, ale pomyślałam, że zapytam panią, jak to było na początku waszego związku. Bo Tosia mi mówiła, że pani nie ma pretensji o męża, bo pani też z kimś jest.

Tosi urwę język, jak tylko wrócę do domu. Potem zapekluję i wyniosę do ogrodu. Zakopię na głębokości trzech metrów. I przywalę dużym kamieniem.

– Wiem, że to nie to samo, bo jednak my jesteśmy małżeństwem – głos Joli szemrał spokojnie, a mnie zaczynało dławić. – On tego nie rozumie, że ja bardziej chcę z nim być niż sama...

Proszę bardzo. Kobieta uzależniona. Żaden facet tego nie zniesie na dłuższą metę. Sałatka z tuńczyka w cenie kilograma polędwicy wołowej. Herbatka z cytryną w cenie dwóch kilogramów pomidorów w styczniu. Ciasteczko z kremem za cenę dwóch kilogramów ziemniaków i sałaty lodowej na wiosnę. Za lanczyk utrzymałabym przez tydzień i Tosię, i wszystkie koty oraz psa Borysa Własnego. Jeszcze by się Niebieski przy mnie pożywił.

Wyszłam z knajpy i byłam wstrząśnięta. Jola mnie wypytuje o Eksia? Z takim wyglądem? A może ona chciała mi dokuczyć? Pokazać, jak powinna wyglądać kobieta? Tak szybko w formie po porodzie. Wstyd. Siłownia, basen, kosmetyki, a tu popatrz pan, Eksio wyjeżdża służbowo bez przerwy. Pewno taką ma pracę, biedaczek. Może go żona nie rozumie i wcale ze sobą nie śpią. Nie wiadomo. Z mężczyznami różnie bywa. Na wiele się Joli nie przydałam, krótko wyjaśniłam, że na pewno zna go lepiej niż ja. Ale kiedy wychodziła, patrzyłam na nią z zazdrością. Rusza się jak bogini. Figurę ma jak Tosia. Nie jak ja. Jestem wściekła. Jeżdżenie do pracy mnie bardzo dużo kosztuje. Dziękować Bogu, Ostapko przynajmniej okazała się absolutnie fantastyczna. I niepotrzebnie się złoszczę. Co Tosia temu winna, że ma rodziców, którzy przekazują sobie przez nowe żony alimenty? Nic, biedactwo.

*

Wsiadam do kolejki.

Jola miała ciekawy pomysł. Robi to samo co ja, tylko niestety wygląda lepiej. Ale ja też siedzę w domu, pracuję, gotuję i chcę być bardziej z Adaśkiem niż z innymi. Czyżbym była kobietą uzależnioną? Na dodatek wcale nie jestem mężatką. Może mi to źle wróżyć. Nie powinnam wisieć na Adasiu. Dlaczego on płaci rachunki? Nie jesteśmy rodziną. Ale mieszka. A z drugiej strony, jakie to ma znaczenie, jeśli ludzie są szczęśliwi?

Za chwilę zacznie się dusić. To, co było takie miłe przez te parę miesięcy, zacznie go przytłaczać, jak Tego od Joli. Muszę uważać. Ewa Ostapko powiedziała, że może mnie wciągnąć w ten interes, oczywiście, jeśli Adam się zgodzi – i popatrzyła na mnie tak jakoś... nie umiem tego nawet powiedzieć. Obraźliwie.

Co to znaczy, „jeśli Adam się zgodzi"? Nie muszę go pytać o zdanie. Nie muszę go obciążać wszystkimi swoimi decyzjami. Muszę za to pamiętać, że jestem osobą odpowiedzialną, samodzielną i niezależną.

*

Wracam do domu późno. Tosia w kuchni je jajecznicę, Adam też w kuchni siedzi nad tuńczykiem w sosie własnym. Obok jeszcze nieotwarte pudełko sardynek. Zrzucam Borysa, który przednie łapy trzyma na krześle i w ogóle nie raczył zauważyć, że przyszłam. Jestem dla niego mniej warta niż puszka sardynek. Nieotwarta w dodatku.

– Jak w szkole? – pytam Tosię.

– Normalnie – odpowiada Tosia z pełną buzią.

– Co to znaczy normalnie?

– Jak zwykle – Tosia zaczyna się niecierpliwić.

– Chciałabym raz usłyszeć inną odpowiedź.

Ciekawe, dlaczego ta odpowiedź mnie tak irytuje.

– A ja bym raz chciała usłyszeć inne pytanie.

Oto jak na własnym łonie wyhodowałam sobie węża. Dlaczego dziecko w wieku dojrzewania nie może być milutkie, ciepłe, spokojne i odpowiadać normalnie? Nie wiem.

Adam, okazuje się, niewiele zrobił, musi teraz siąść do roboty. Coś podobnego, cały dzień w domu i niewiele zrobił! Trawnik nieskoszony. Z Krzysiem się nawet nie widział. Na mężczyzn w ogóle nie można liczyć!

– Adam, przecież mówiłeś, że będziesz pracował! – przypominam z lekką pretensją. Prawdę powiedziawszy, liczyłam, że spędzimy miły wieczór i opowiem mu wszystko, to znaczy, jak odmienię swoje życie z pomocą Ostapko. Tosia patrzy na mnie z pretensją.

– Ale ty, mamo, jesteś dziwna, przecież przed chwilą wrócił. A ty obiecałaś, że mnie dzisiaj odbierzesz ze szkoły. Nigdy na ciebie nie można liczyć.

Na mnie nie można liczyć! Na kogo ona mogła zawsze liczyć, jak nie na mnie! Na swojego ojca, który sobie poszedł do Joli? W moim własnym domu spotykają mnie takie oskarżenia. I na dodatek Adam patrzy na mnie spod oka. Już mam ich dwoje przeciwko sobie, przy czym jedno jest moją własną córką, krwią z krwi mojej i kością z kości.

– Dlaczego ty, drogie dziecko, bierzesz zawsze stronę Adama, a nie moją? – pytam jadowicie Tosię, bo czuję się całkowicie zdradzona.

– Jestem wyłącznie obiektywna – mówi moje dziecko i wyciera usta w ścierkę do naczyń. – Adam zrobił zakupy, był u geodety i przywiózł mnie ze szkoły. A ciebie cały dzień nie było w domu i masz pretensję, jak zwykle. I nie mów do mnie „moje dziecko", bo mam imię i jestem dorosła.

Tosia podnosi się od stołu i ostentacyjnie wychodzi z kuchni. Adam patrzy na mnie trochę zdziwiony.

– Ładnie wyglądasz – mówi.

– Nie zmieniaj tematu. – Jestem zła. – Namówiliście się na mnie i teraz ja wychodzę na złą matkę...

– Daj spokój i nie mów do niej „moje dziecko". Z punktu widzenia psychologii to nie najlepsze. Ona ma płeć, żeńską, i jest prawie dorosła, czego ty nie chcesz zauważyć. A ja rzeczywiście niedawno wróciłem. Na jutro mam sporo roboty. Jak ci minął dzień?

A więc to tak! Nie będę mu mówić o swoich planach, skoro nie jest ich ciekaw. Nikt mnie nie rozumie. Oto przychodzę do domu radosna i zmęczona, liczę na to, że ktoś się mną zajmie, a tu same pretensje. W porządku. Nie muszę się dzielić z nikim swoimi planami. Zrobię im wszystkim dużą niespodziankę. Sama będę podejmować życiowe decyzje.

– W porządku – uśmiecham się jadowicie i otwieram puszkę sardynek, choć wcale nie jestem głodna.

– A kto to jest Szymon N., zanotowany pod N w twoim notesie?

Mężczyźni są niemożliwi! To przecież jego własny syn! Pod N – bo od Niebieskiego. Logiczne. Nawet nie mogę mu tego wszystkiego wytłumaczyć, bo dzwoni Moja Mama.

– Co u ciebie? – pyta.

– Normalnie – odpowiadam i czuję, jak jeży mi się włos na plecach, oczywiście gdyby tam występował. Dlaczego Moja Mama nie może choć raz zapytać mnie o cokolwiek innego?

– Nie odzywasz się.

– Mamusiu, dopiero wróciłam, ale za chwilę bym zadzwoniła – słyszę napięcie we własnym głosie.

– Stało się coś? – niepokoi się Moja Mama, która ma jakiś nieznany mi radar, działający bez względu na odległość.

– Nie, nic – wkładam w swój głos całą pogodę ducha. – Wszystko w porządku.

– Przecież słyszę. – Radar Mojej Matki jest bezwzględny. – Moje dziecko, jeśli ci przeszkadzam, mogę zadzwonić później...

– Nie mów do mnie „moje dziecko" – denerwuję się i widzę, jak Adam odwraca się od zlewu i śmieje się w kułak. Człowiek już w ogóle nie ma warunków, żeby spokojnie porozmawiać z rodzicami przez telefon.

– Zadzwonię później – mówię do słuchawki.

Moja Mama poucza mnie jeszcze, że może bym od czasu do czasu zadzwoniła do swojego ojca, bo jeśli również jego tak zaniedbuję, to... i nie tak mnie wychowywała.

Odkładam słuchawkę i wpadam natychmiast w poczucie winy. Rzeczywiście już parę dni nie zadzwoniłam ani do jednego, ani do drugiego. Ten plan Ostapko mnie tak zajął. Ale dlaczego Moja Matka troszczy się o Mojego Ojca, skoro się rozwiedli? Nie powinni byli tego robić. Byłaby to spora oszczędność, jeśli chodzi o telefony.

Przypominam sobie o zostawionym rano notesie.

– Gdzie mój notes?

Adam patrzy na mnie w taki sam sposób, jakby patrzyła na mnie Moja Mama.

– Przed tobą.

Odwracam się i pakuję notes do torby.

– Ponieważ obydwoje będziemy zajęci przez resztę wieczoru, to do widzenia – mówię spokojnie, wkładając talerzyk po sardynkach do zlewu, i wychodzę z kuchni.

*

Siadam przed komputerem. Dopóki moje możliwości zarobkowe nie wzrosną – a Ostapko obiecała, że nastąpi to z dnia na dzień, jeśli tylko... ale nie zapeszam, muszę odpisywać na listy.

Droga Redakcjo,
zakochałam się w Alkurir. Jest on obywatelem tureckim, poznałam go na dyskotece i wkrótce się pokazało, że nie możemy żyć bez siebie. Nie mogę z nim zamieszkać, bo moi rodzice sprzeciwiają się temu związkowi, ale mimo to postanowiliśmy związać nasze ścieżki życia na zawsze. On, jako obywatel turecki, jest dla mnie bardzo miły i dbający. Ale widzi naszą przyszłość tylko w Turcji, do której zamierzamy pojechać, abym poznała jego rodzinę. Alkurir pracuje w ambasadzie. I to jest bardzo dobrze. Ale jedna koleżanka mi powiedziała, żebym najpierw poszła i go sprawdziła. To co mam robić?

Oj, ty dziewczyno... Teraz to o ciebie dba, ale pojedziesz do tej Turcji, a on zamknie cię w burdelu, a w najlepszym przypadku w ogóle nie zapyta, jak ci minął dzień, kiedy wrócisz zmęczona po pracy. Otworzysz sobie puszkę sardynek i będziesz udawała, że jesteś szczęśliwa. Lepiej pomieszkaj z nim jakieś dziesięć, dwadzieścia lat i sprawdź, czy będzie dobrym mężem. I nie w Turcji, tylko tutaj.

Droga Aneto,
podaję Ci adres i telefon Ambasady Republiki Tureckiej: ulica Malczewskiego 32, Warszawa... Myślę, że najlepiej będzie, jeśli sama się skontaktujesz z wydziałem konsularnym. Nie znam szczegółów Twego życia ani nie mam informacji o Twoim narzeczonym, które mogą okazać się niezbędne, żeby...

Pal licho te sardynki. Ostatecznie to nie jest jeszcze najgorsze w związku. Ale jeśli rzeczywiście ona tam pojedzie i coś się stanie? Odbiorą jej paszport, uwiozą gdzieś daleko? A jeśli on nie pracuje w tej ambasadzie i ją oszukuje od początku? A jeśli ten jej narzeczony rzeczywiście ją kocha? Dlaczego ja mam wiedzieć, jak ktoś ma żyć? Co jej napisać?

Podnoszę się od komputera i idę do Adama. Podkładam mu list pod nos.

– Co o tym myślisz?

Ostatecznie to on jest socjologiem i wszystko wie. Adam czyta uważnie list.

– Jeśli ją przestraszysz, to cię nie posłucha i może wdepnąć w jakieś... Niech sprawdzi, czy on rzeczywiście tam pracuje... Przecież ona pisze ten list spod Wrocławia, a ambasada jest w Warszawie... Niech uważa...

– Czy ty sądzisz – robię się zasadnicza – że związek powinien opierać się na kontroli?

– Kontrola to co innego, a upewnienie się, że wszystko w porządku, to co innego. To nie jest chłopak z sąsiedniego miasta. Taka decyzja może mieć konsekwencje nie do przewidzenia. Niech będzie rozsądna. Widzę, że nawet nie możemy się pokłócić. Może jestem mu obojętna. Zawsze tak jest, że ludzie po jakimś czasie nudzą się sobą. Choć co do przypadku Anetki z listu, ogólnie rzecz biorąc, ma rację. Wracam do komputera.

Jeśli mogę Ci cokolwiek radzić – nie rezygnuj z obywatelstwa polskiego, nie oddawaj nikomu paszportu, w obcym kraju mogą się zdarzyć różne rzeczy, na które możesz nie mieć wpływu. Może powinnaś się upewnić, że Twój narzeczony ma dobre intencje i Cię nie oszukuje. W ambasadzie możesz również zapytać o prawa i obyczaje panujące w Turcji i dopiero z tą wiedzą świadomie decydować o radykalnych zmianach w życiu. Mam nadzieję, że będziesz szczęśliwą żoną, ale nigdy nie należy za sobą palić mostów...

I tak mnie nie posłucha. Dziewczyny zawsze robią to, co chcą. I jak człowiek jest zakochany, to wkracza w inny stan świadomości. Stan ten charakterystyczny jest również dla osób będących pod wpływem narkotyków czy alkoholu. Miłość jest ślepa.

Po Turku następuje parę listów: o sąsiedzie, który wymalował płot drewniany trującą farbą do podkładów kolejowych (tu chyba musi ingerować redakcja nie tylko listem), o nóżce kota, która się wygięła do środka, o chłopaku, który nie może iść do wojska, bo nie lubi wojska, prośba o wskazówki, jak zaprzeczyć ojcostwu i co zrobić, żeby wyplątać się z umowy na garnki Zepter.

Kiedy wstaję od komputera, jest jedenasta. Zaglądam do pokoju Tosi. Śpi jak zabita. Podnoszę książkę, którą rzuciła na dywan obok łóżka. *Kobiety niekochane, kobiety porzucane.*

Jezus Maria! Dlaczego ona to czyta? Ze względu na mnie? Czy wie coś, o czym ja nie wiem? Czy ze względu na siebie? Jeszcze gorzej. Cichutko biorę książkę i schodzę na dół. Adam śpi. Otwieram książkę i zaczynam czytać.

Wisieć na mężczyźnie

Od rana siedzę przy komputerze. Myślałam, że Adam mi pomoże podjąć decyzję w sprawie interesu, który proponuje Ostapko, ale skoro znów muszę sama decydować, to bardzo proszę. Chociaż nie mam pojęcia, czy w to wchodzić. Nie wiem, co robić. Kiedy ona mi tłumaczyła, że ten jej znajomy w Berlinie to pewniak, wszystko wydawało mi się logiczne, spójne, proste. Oczyma duszy widziałam już kupę pieniędzy na własnym, wiecznie chudym koncie. A dzisiaj...

W porę jednak sobie przypominam, że nie mogę wisieć na mężczyźnie w tej ani w żadnej innej sprawie – szczególnie po przeczytaniu fragmentu książki *Kobiety porzucane*. Jasno wynika z tego, co tam jest napisane, że kobieta, która swoje życie zawiesza na mężczyźnie, fatalnie na tym wychodzi. Pomyślę o tym później.

Otwieram kolejny list.

Droga Redakcjo,
może kiedy otworzycie ten list, ja już nie będę żyła...

O matko moja! Nie jestem przygotowana na takie listy! Nie mogę być odpowiedzialna za czyjeś życie! Ta dziewczynka jest prawie w wieku Tosi, a ja jestem zupełnie bezradna...

Mam osiemnaście lat i moje życie się skończyło wraz z odejściem mojego chłopaka. Byliśmy razem już dwa i pół roku. Planowaliśmy ślub, kiedy on tylko wyjdzie z wojska, ale wyszedł, a o ślubie nie mówi. Przedwczoraj moja koleżanka, bardzo mi życzliwa osoba, powiedziała, że widziała go z inną koleżanką, z którą kiedyś się znałyśmy. Moje życie straciło sens. Nie mogę bez niego żyć. Dlatego postanowiłam skończyć ze sobą, bo życie bez miłości jest nic niewarte. Dlaczego on mi to zrobił? Przecież mieliśmy być tacy szczęśliwi... Droga Redakcjo, musi być jakiś sposób, żeby on zrozumiał, że on mnie kocha. Będę czekać na odpowiedź z niecierpliwością, ale tylko wy mi zostaliście. Jesteście moją ostatnią deską ratunku...

Widać jasno, że przestałam się nadawać do tej pracy. Choć nie wszystko stracone, jeśli będzie czekać na odpowiedź, może niekoniecznie w stanie nieżywym. Ale ja naprawdę nie wiem, jak pocieszyć jakąś obcą dziewczynkę. Jak jej wytłumaczyć, że życie się nie kończy, że ono się zaczyna...

– Co się z tobą dzieje, mamo? – Tosia stanęła nade mną niespodziewanie, ale gdyby nawet stanęła spodziewanie, i tak bym miała wątpliwości, czy to ona.

Podskoczyłam na krześle z wrażenia. Borys szcze-
kał jak oszalały. Wcale mu się nie dziwię, bo gdybym
umiała szczekać, chybabym mu towarzyszyła.

– Co ci się stało? – wykrztusiłam.

Wiem, że matka powinna być wyrozumiała i spokojna. Nie może swoich lęków przerzucać na dzieci.
Jeśli będę spokojna, Tosia mi wszystko opowie. Tosia,
moja córka, która wyszła do szkoły w szarych spodniach, lekko rozszerzających się ku dołowi, zielonym
golfie, butach martensach zielonych, sznurowanych,
do kolan. Tosia, która rano na głowie miała ciemne
włosy, lekko opadające na ramiona. Teraz natomiast
stoi przede mną krótko obcięta blondynka w spódnicy
z rozporkiem do połowy uda, owszem, w zielonych
martensach, sznurowanych, do kolan (przecież jest dopiero dziewiętnaście stopni Celsjusza i lato za pasem),
białej bluzce i z mocno podmalowanymi na fioletowo
oczami. Głos ma Tosi.

– A co się miało stać? – Tosia rzuca worek, który
nosi do szkoły, koło fotela i ciężko siada.

– Trochę inaczej wyglądasz niż rano.

Tylko spokojnie, tylko spokojnie, nie denerwować się, nie napadać, dzieci mają prawo wyglądać
inaczej, niżbyśmy chcieli.

– Ach, o to ci chodzi – Tosia niedbale rzuca okiem
na swoje odzienie. – Karolina mi pożyczyła. Bo ona
teraz będzie chodzić w moich szarych spodniach.
Wiesz, żebyśmy się nie znudziły...

Jeszcze jeden głęboki oddech i tylko pilnować tonu głosu.

– A włosy?

– No przecież ci mówię. – Tosia jest wyraźnie rozczarowana moim brakiem zrozumienia. – Żeby się nie znudzić.

– Komu? – Mój głos brzmi niedbale i postanawiam, że nie będę się dziwić, że ogarnę wszystko i będę akceptującą matką.

– No, każdemu... – W głosie Tosi pojawia się zniecierpliwienie. – Jak wyglądam?

Fatalnie! Fatalnie to za mało! Język polski nie zna określenia na taki wygląd! Z pięknej, skromnej siedemnastolatki o kasztanowych włosach, z dziecięcia zaledwie niewinnego moja Tosia przeobraziła się w jakiegoś cholernego wampa, jakąś Lolitę, jakieś nieznane mi stworzenie, które wygląda na dwadzieścia lat i które nie może być moją córką, bo przecież czterdziestka jeszcze przede mną i ona powinna chodzić uczesana w warkoczyki i...

– Ale ekstra! – Spod drzwi głos Adama zabrzmiał jak wystrzał armatni.

– Matce się nie podoba... – Tosia zakłada nogę na nogę, a Adam patrzy na nią z podziwem.

– Nie, dlaczego – postanawiam szybko, że nie mogę być przeciwko nim, bo to się dla mnie źle skończy. – Uważam, że świetnie!

Adam podchodzi i całuje mnie w policzek. Mijając Tosię, wyciąga dłoń, w którą Tosia wali z całej siły, a potem Tosia nadstawia rękę, w którą on uderza, za dużo filmów amerykańskich w tym domu, mam nadzieję, że uderzył jej rękę z mniejszym impetem niż ona jego.

– Jest coś do jedzenia? – pytają jednocześnie, jakbym nie miała nic innego do roboty, tylko gotować i gotować.

Oczywiście jest. Tylko do tego służę. Pyszne ziemniaczki purée, kotleciki schabowe z żółtym serem, sałatka z buraków.

Zasiadamy do stołu. Właściwie jak tak przyglądam się Tosi, to nie jest jej wcale źle w tej fryzurze. I w tej spódnicy wygląda naprawdę świetnie. Powinnam mieć taką samą.

– Dasz przymierzyć? – pytam Tosię cicho.

– Nie zmieścisz się... – odszeptuje Tosia i nareszcie wiem, że wszystko jest w porządku.

– Zmieszczę się – zapewniam przekonująco.

Po obiedzie idziemy z Tosią do łazienki i oczywiście Tosia ma rację. Nie mieszczę się.

– Powinnaś mieć taką samą. – Tosia ostatnio jednak robi się coraz bardziej dojrzała. –Tylko większą – dorzuca, i widzę, że to jeszcze małe dziecko.

Ciekawa jestem, skąd brać na to pieniądze. Moja pensja w redakcji pozostawia wiele do życzenia. Miałam pisać inne teksty, ale Naczelny zatrudnił do tych innych tekstów inną osobę.

Adam zarabia, owszem, ale nie zapominajmy, że ma syna, a studia Szymona kosztują, trudno, żebym wyciągała pieniądze od mężczyzny, który nawet nie jest moim mężem. To wystarczające obciążenie.

Kiedy tak stałam przed lustrem i przyglądałam się sobie, dojrzewała we mnie decyzja o trzymaniu swojego życia nadal w swoich własnych rękach. Nie będę z Adamem konsultować interesu, który proponuje mi Ostapko. To jest tylko moja sprawa. Muszę zrobić coś, żeby mieć więcej pieniędzy. Jutro pójdę do banku i dowiem się, jakie są możliwości wzięcia kredytu. Co prawda dziesięć tyięcy mamy odłożone z Adamem na wakacje. Ale tego nie mogę ruszyć. Kredyt jest zabójczy, ale Ostapko mówi, że w ciągu trzech pierwszych miesięcy pomnożymy tę sumę parokrotnie. Im więcej będę miała teraz, tym więcej będę miała w przyszłości.

Musi mi się udać.

– Mamo? – Tosia patrzy na mnie uważnie i widzę, że powędrowałam myślami z tej łazienki dużo dalej, niż powinnam. – Kobieta musi się co jakiś czas zmieniać, bo inaczej znudzi się, rozumiesz?

Teraz widzę, że Tosia ma problem. Książka, którą wczoraj znalazłam u niej przy łóżku – to nie przypadek. Ściągam i oddaję spódnicę. Wysuwamy się z łazienki chyłkiem, Adam siedzi razem z Borysem na kanapie. Przemykam się na poddasze za Tosią. Zamykam drzwi.

– Nie układa ci się z Andrzejem?

Andrzej to jej kolega z klasy. Na Dzień Kobiet Tosia dostała od niego bukiet kwiatów i w ten oto prosty sposób dowiedziała o się, że on już od pierwszej klasy ma na nią oko, tylko nie miał odwagi jej o tym powiedzieć. I że mama mu doradziła, żeby dał Tosi kwiaty, i sytuacja się wyjaśniła. Tosia z pierwszymi tak poważnymi kwiatami w ręku stanęła w drzwiach i natychmiast się obraziła, jak ją zapytałam od kogo. Wszystko było jasne.

Andrzej zaczął przewijać się przez nasz dom coraz częściej. Wpadałam w panikę, bo ostatecznie Tosia to jeszcze dziecko, a poza tym ten cały Andrzej może ją skrzywdzić, ale Adam dzielnie trwał na stanowisku, że to wszystko normalne, że dzieci dojrzewają i żeby ją wspierać, a nie tłamsić.

– Nie układa ci się z Andrzejem? – powtórzam.

– Z Andrzejem? Z Andrzejem się przyjaźnimy – Tosia jest trochę nieswoja, a moje serce w panice zaczyna bić coraz szybciej.

Kiedy słyszę „przyjaźnimy się", to wiem, że wielka miłość się kończy nieodwołalnie i że mężczyzna zwrócił uwagę, „bo tak wyszło", na inną babę wstrętną. Wiem również, że nie uchroniłam Tosi przed rozczarowaniem, które jest dopisywane do każdej kobiety chyba już w łonie matki, i że moja córka jest nieszczęśliwa. Nie wiem natomiast, co robić, żeby ją pocieszyć, wytłumaczyć, że życie się nie kończy, tylko się zaczyna... A jeśli ona już, tak jak ta dziewczyna z listu, podjęła jakąś decyzję? Żeby ze sobą skończyć? I jest tak zraniona, że nawet mnie nie może o tym powiedzieć?

– Tosiu, kochanie – marzę o tym, żeby mój głos nie zadrżał – mam nadzieję, że poradzisz sobie z tym.

Wiesz, w życiu tak już jest, że czasem myślimy, iż wiążemy się na zawsze, a tymczasem to tylko poszukiwanie właściwego partnera. Najważniejsze jest jednak pozostawanie w przyjaźni. Przyjaźń to czasem cenniejsza rzecz niż zwykłe zadurzenie, szczególnie w twoim wieku.

Rzucam niepewnym okiem na Tosię, czy mi nagle nie przerwie. Ale Tosia tym razem dziwnie spokojnie wysłuchuje mojej tyrady.

– I trzeba sobie z tym radzić – bredzę dalej jak z książki. – Zresztą pierwszym objawem dorosłości jest umiejętność spojrzenia na taki pierwszy układ z dystansu, a może wiele czasu minąć, zanim się trafi na prawdziwą miłość.

Tosia wierci się niespokojnie w fotelu. Patrzę na nią i jestem z niej dumna. Nie widać w jej oczach rozpaczy.

– Cieszę się, że tak mówisz, mamuś – mówi moja córka, a moje serce wyrywa się radośnie z piersi.

Oto mój trud wychowawczy nie spełzł na niczym. Oto możliwe jest porozumienie się z córką w trudnym wieku. I nieprawdą jest, jakoby zawsze dochodziło do konfliktu i córka nigdy nie słuchała matki. Moja słucha i się ze mną zgadza. Naprawdę jestem tak wzruszona, że mam ochotę się rozpłakać.

– W wieku siedemnastu lat jest jeszcze czas na prawdziwe uczucie, wierz mi – mówię cicho, choć rozumiem, jakie to musi być dla niej trudne.

– No właśnie, mamo, to samo mu powiedziałam. Ale on nic nie rozumie. Może byś z nim pogadała?

Tosia patrzy na mnie swoimi dużymi, piwnymi oczyma spod fioletowych powiek i uśmiecha się nieśmiało. Zanim sens tego, co mówi, do mnie dociera, moja córka pakuje sobie na kolana Zaraza i zaczyna go mocno tulić.

– Mama porozmawia z Andrzejem i wszystko będzie OK – dmucha prosto w szare ucho Zaraza. A potem, nie zwracając uwagi na moje osłupienie, mówi do mnie wyjaśniająco: – Bo on chce pojutrze przyjść na poważną rozmowę. Ale rozumiesz, ja nie mogę w tym wieku się wiązać, zresztą niedługo matura i w ogóle na warsztatach poznałam takiego chłopaka, on ma na imię Jakub i jest naprawdę fantastyczny. To znaczy, rozumiesz, oczywiście nic nas nie łączy, ale myślę, że ci się spodoba. Przyjedzie po mnie w niedzielę i razem z całą paczką pojedziemy do kina, a potem może na Starówkę... Wiesz, a Andrzej zupełnie nie rozumie, że... no, jakoś tak samo wyszło.

Trwam w osłupieniu jeszcze przez chwilę. Nie wiem, co mam powiedzieć. Nie znajduję odpowiednich słów. Wiem tylko jedno – oto moja najukochańsza córka wsadziła jakiemuś chłopcu w klasie nóż prosto w serce. Zamiast docenić jego uczucia i pozwolić się tym uczuciom rozwinąć, niecnie i podstępnie zainteresowała się zupełnie innym chłopcem. I jeszcze wpuściła mnie w maliny, bo wszystko, co mogłabym powiedzieć w tej sytuacji, powiedziałam zupełnie nieopatrznie przed chwilą. I umówmy się – odnosiło się to do Tosi, a nie do jakiegoś Andrzeja!

Schodzę na dół i jestem tak wstrząśnięta, że depczę po psie Borysie, który oczywiście, jak każdy pies, musiał położyć się w samym przejściu. Mijam Adama, który mocuje się z puszką kociego żarcia, bo uszko do otwierania diabli wzięli wczoraj, jak ja ją próbowałam otworzyć. Adam patrzy na mnie i ściąga brwi.

– Hej, stało się coś?

– Nie – mówię, a potem opowiadam mu całą historię Tosi i nieszczęśnika, którego właśnie porzuciła dla jakiegoś nieznanego mi Jakuba. No i tłumaczę Adamowi, jakie to straszne.

– Eee, ty byś chciała, żeby się od razu pobrali? – Adam otwiera puszkę i kaleczy się w palec. – Przecież w tym wieku zbiera się doświadczenia, człowiek się czegoś uczy i tak dalej. Nie martw się, da sobie radę. Ale ty się nie wtrącaj, niech załatwia to sama.

Adam mnie coraz częściej nie rozumie. Przede wszystkim dokładnie wiem, co chciał powiedzieć przez to „żeby się od razu pobrali". Wiem, co miał na myśli. Oczywiście nie Tosię, tylko nas. To była aluzja. To było uświadamianie mi nie wprost, że on nigdy nie będzie miał nawet zamiaru się ze mną ożenić. Tak jak ja bym tego chciała! Nigdy w życiu bym nie wyszła za mąż. Za nikogo. Najpierw ślub, a potem człowiek nosi serce na temblaku i wygląda z nim jak idiota.

*

Fantastyczna książka.

– Jeśli bardziej interesuje cię twój partner,

– jeśli przestałaś mieć czas dla znajomych,

– jeśli nie podejmujesz decyzji samodzielnie,

– jeśli dzwonisz do niego lub obrażasz się, że on nie dzwoni,

– jeśli myślisz, „co on na to powie",

– jeśli twoje życie zaczyna się kręcić tylko wokół niego...

Facet mnie nie zna, a o mnie książkę napisał. Śledzi mnie, czy jak? Przecież to wszystko odnosi się do Adasia. To znaczy, że on mnie porzuci. Jeśli natychmiast się nie usamodzielnię.

Mój Boże! Wreszcie zadzwoniła Ostapko! Siedziałam akurat w kuchni nad smętnie wyglądającą resztką białego serka z konfiturami i rozmyślałam, kiedy się zdecyduje, jak rozdzwonił się telefon. Pobiegłam do pokoju i po drodze mocno uderzyłam się w łokcieć.

– To ty? – Usłyszawszy głos Ostapko, podskoczyłam z radości. – Masz paszport?

– Ja? – choć obiecałam sobie, że niczemu nie będę się dziwić, przecież prosiła, żeby jej zaufać, zdziwiłam się.

– No a kto? – roześmiała się Ostapko, nazbyt radośnie, moim zdaniem.

– Mam – powiedziałam, bardzo z siebie zadowolona.

Paszporty wyrobiliśmy sobie już w lutym. Adam powiedział, że o tych planowanych wakacjach całe życie będziemy pamiętać. Grecja albo Cypr, albo Kreta

– wie, że uwielbiam wszystko, co słoneczne, ciepłe i pachnie ouzo.

– To słuchaj – głos Ostapko brzmiał bardzo wyraźnie. – Zadzwoniła do mnie Marzena z Berlina. Pojutrze chcę do niej jechać. Nie zmieniłaś zdania? Jedziesz ze mną?

– Ja? – powtórzyłam, przeklinając się w duchu za niemożność wykrzesania z siebie lepszego pytania.

– No a kto? – Ostapko była nie lepsza ode mnie. – Przecież do ciebie dzwonię. Wchodzisz w ten interes czy nie?

– Ale tak nagle? – wyjąkałam i nie wspomniałam nawet o Tosi, której grozi dwója z chemii, a koniec roku blisko, o Adamie, którego bardzo niechętnie bym zostawiła samego, psach, kotach, obowiązkach, pracy, kupie listów itd.

– Słuchaj, albo, albo – głos Ostapko teraz zdradzał zdenerwowanie. – Takie okazje nie zdarzają się codziennie. Jadę samochodem, więc przejazd masz za friko. Za trzy dni będziemy z powrotem, chyba że nie skombinujesz pieniędzy na pojutrze, to zaproponuję komu innemu. – Zawiesiła głos. – Jeśli nie masz, żeby zainwestować... to trudno.

Milczałam, choć myśli gwałtownie mi się skłębiły. Łokieć mnie bolał, pożyczka z banku była sprawą odległą, ale tylko dlatego, że nie mam pieniędzy, interes mojego życia ma przejść mi koło nosa? Adam ma mnie porzucić? Mam być dla niego ciężarem? Będzie płacił rachunki, aż mu się znudzi? Nigdy nie będzie mieć

lepszego samochodu, bo ma kobietę z dzieckiem? Nie.
Będę walczyć o niego i swoją przyszłość. Niezależność i samodzielność. Nie uzależnię się, w porę Tosia
przyniosła do domu te bzdury. Byłam na najlepszej
drodze do utraty najlepszego mężczyzny na świecie.
Usłyszałam ponaglające:

– No?

– Wiesz, tak nagle dzwonisz... trochę jestem zaskoczona, ale oczywiście tak. – Decyzja sama znalazła
się na języku, z niewiadomych powodów.

– Ile będziesz miała?

– Spróbuję dziesięć tysięcy – zająknęłam się
trochę.

– To niewiele. Ale jak chcesz... Zdzwonimy się
jutro, śpimy u Marzeny w Berlinie, więc żadnych
kosztów więcej, OK?

– Dobrze – powiedziałam i usłyszałam tylko
trzask odkładanej słuchawki.

Wróciłam do kuchni. Potem wylizywał miseczkę
po moim serku. Na mój widok smyrgnął tak szybko, że
nawet Borys podniósł głowę znad miski. Nie wiem,
dlaczego Ula może przy swoich kotach zostawić serek
w miseczce, podejść do telefonu, nie wbijając łokcia
w kant kredensu, i wrócić spokojnie po rozmowie do
serka. Niestety w moim własnym domu jest to niemożliwe. Włączyłam czajnik, żeby wyparzyć miseczkę
po Potemku. A później siadłam w kuchni i zamyśliłam
się głęboko.

Gdybym zainwestowała w ten interes nasze pieniądze na wakacje, to pomnożone tylko dwa razy dałyby zawrotną sumę dwudziestu tysięcy. Dwadzieścia – jeśli weźmie się pod uwagę najgorszą możliwość, to znaczy, że pomnożę je tylko dwukrotnie.

Jeśli zacznę tę sprawę dyskutować z Adamem, to będzie to nasza wspólna decyzja. A to ma być tylko moja inwestycja. Czyli mogę pożyczyć na moment nasze wspólne pieniądze, nie mówiąc o tym Adamowi, potem szybko oddać nam te dziesięć tysięcy, a resztę znowu zainwestować i pomnażać, i wspólnie je wydawać. W ten sposób nie wiszę na facecie, nie jestem od niego uzależniona w ogóle, a on jest szczęśliwy, że ma taką zaradną partnerkę. Czyli mnie.

Tak. Tak właśnie zrobię.

Nie będzie to łatwe, bo jak znam mężczyzn, to od razu zacznie marudzić, a po co, a dlaczego, a dlaczego teraz wyjeżdżasz, a może kiedyś w przyszłości, zupełnie cię nie rozumiem i tak dalej. Wszystko to pamiętam z przeszłości.

No ale cóż. Jestem kobietą niezależną i jak coś postanowię, to zrobię.

Jadę

Adam nie ma nic przeciwko temu, żebym sobie pojechała! Nie spodziewałam się tego po nim, doprawdy! Czy to znaczy, że już mnie nie kocha? Nie wiem, co o tym myśleć. Wyraźnie się ucieszył, że zobaczę ołtarz z Pergamonu. Skoro trafia się taka okazja, że Ostapko jedzie i ma wolne miejsce w samochodzie, to proszę bardzo! Zatroszczył się nawet o to, żebym wzięła parę groszy, bo tam podobno wszystko jest tańsze. I są brzeszczoty do piły. Nie wie, że wzięłam dziesięć tysięcy. Ale nigdy się nie dowie, bo za chwilę je pomnożę. Ostapko mówi, że to kwestia paru tygodni.

Tosia niestety również się w ogóle nie zmartwiła. To znaczy – trochę się zmartwiła, że Adam zostaje. Ale potem zrobiła mi długą listę rzeczy: skarpety, takie jakie ma Karolina, w kolorowe pasy, na gumę, buty za kolana, wranglery koloru szarego, rozszerzane itd. Adam natomiast powiedział, że mogłabym przywieźć trochę dobrego wina, bo tańsze, oliwę z oliwek, bo tańsza, koniak, bo tańszy, grappę, bo tańsza, oraz wiertła... i spisał na kartce niezrozumiałe dla mnie znaki, oraz brzeszczoty do piły skośnej na czterdzieści milimetrów, bo u nas są czterdziestomilimetrowe, ale nie mają czterdziestu milimetrów.

Powiedziałam Adamowi, żeby nie pozwalał Tosi wracać późno. Że jeśli umawia się z Jakubem, to on ma ją odwozić, a niech, Boże broń, nie jeździ sama po nocy kolejką. Że kotlety w zamrażalniku, jedzenie dla Borysa pod zlewem, jedzenie dla kotów w szafce koło kuchenki, chleb w pojemniku na chleb, groszek zielony w puszkach w kredensie, że nie ma sera żółtego i że jak oni sobie beze mnie poradzą. Trzeba kupić proszek do prania, pralki niech nie nastawiają na gotowanie i niech karmią zwierzęta. I że Ula zajrzy zobaczyć, jak sobie radzą.

Tosia z Adamem siedzieli przed telewizorem i cierpliwie tego słuchali. Raz na jakiś czas rzucali krótkie „tak", patrzyli na siebie, i miałam wrażenie, że mają mnie za idiotkę.

Kiedy doszłam do tego, gdzie jest akt własności domu, jakby się coś stało, oraz ubezpieczenia na wypadek powodzi (najbliższa woda to Wisła i jest dwadzieścia dwa kilometry stąd, w Warszawie), i że w razie czego w pomieszczeniu gospodarczym są zapasy ryżu i kaszy, Tosia nie wytrzymała:

– Ty na długo jedziesz, mamo? – zapytała niewinnie, ale widziałam, że najpierw popatrzyła na Adama.

Wystarczy, żeby człowiek podjął jakąś decyzję i był konsekwentny, a od razu mu rzucają kłody pod nogi. Poszłam do Uli i zwierzyłam jej się ze wszystkiego, odbierając wprzódy od niej przysięgę, że nie puści pary z ust. Poprosiłam, żeby zajrzała do nich i sprawdziła, co się dzieje.

– A ty, przepraszam, na ile dni wyjeżdżasz? – spytała niewinnie Ula. – Przecież wyjechałaś na Cypr i nie bałaś się zostawiać samej Tosi. Teraz nie będzie sama...

No właśnie! Jak ta Ula nic nie rozumie. Gdy Tosia była sama, to mogłam na nią liczyć. A teraz Adam zostaje sam. I Ula mogłaby być tak miła, żeby go zaprosić, żeby się biedaczyna sam po świecie nie szwendał, kiedy mnie nie ma. Bo Tosia to sobie jakieś towarzystwo załatwi. A ja wolałabym, żeby Adaśko sobie nie załatwiał żadnego towarzystwa.

*

Mój weekend w Berlinie zaczął się w poniedziałek, a skończył w środę. Ostapko przyjechała rano, okazało się, że jedziemy przez Wrocław, bo ma tam coś do załatwienia. We Wrocławiu zostawiła mnie na rynku, który jest śliczny. Siedziałam sama nad dobrym żarełkiem i czekałam, aż ona załatwi swoje ważne sprawy.

Przybiegła po trzech godzinach zadyszana. Zdążyłam kupić od panów, którzy rozdawali za pieniądze breloczki robione przez głuchoniemych, jednego metalowego misia, jedną wieżę Eiffla i jednego rycerzyka.

– Czyś ty zwariowała? – Ostapko popatrzyła na moje wisiorki z odrazą.

Jakby tak siedziała sama trzy godziny, toby też kupiła. Jak miałam im wytłumaczyć, że przed chwilą zainwestowałam w breloczki, skoro byli niesłyszący?

Wsiadłyśmy w samochód i pojechałyśmy. Ostapko prowadziła spokojnie, nawet piła soczki w czasie jazdy, ale niewiele rozmawiałyśmy, bo cały czas gadała przez komórkę. Po niemiecku, którego to języka ja ani, ani. Oczywiście z wyjątkiem *Hände hoch*. Ale ona tych słów jak na złość nie używała. Po dwóch godzinach wytwornej jazdy z Wrocławia zatrzymujemy się na ostatniej w Polsce stacji benzynowej. Ostapko tankuje do pełna, potem udajemy się do toalety poprawić toalety, potem do sklepu spożywczego nabyć rzeczy spożywcze, bo nie wiadomo, ile będziemy stać na granicy, potem do baru, żeby coś przekąsić. Wsiadamy i odjeżdżamy. Las. Światła, szosa. Nagle Ostapko mówi:

– Widziałaś krasnoludki?

Robi mi się niedobrze. Nie powinnam denerwować kierowcy. Ale jeszcze bardziej kierowca nie powinien denerwować mnie. A najbardziej nie powinien sam się denerwować.

– Gdzie? – pytam niewinnie.

– Tam były.

– Dużo?

– Dużo, nie liczyłam.

Jest gorzej, niż myślałam. Szosa pusta, jak okiem sięgnąć. Przed nami w oddali dwa samotne czerwone tylne światełka. Dlaczego właściwie chciałam z nią wyjechać?

– Jesteś głodna? – pytam pojednawczo.

– O, znowu!

– Co znowu? – staram się, żeby mój głos nie drżał.

– No, krasnoludki! – Ostapko jest zdenerwowana.

– Soczku? – wyciągam do niej rękę.

– Widziałaś? – pyta. – A teraz widziałaś???

– Oczywiście, że widziałam. – Wariatom nie należy się sprzeciwiać. Jak ja wrócę z tego Berlina? Chyba są jakieś pociągi? W portfelu mam tylko, poza dziesięcioma tysiącami, sześćset złotych.

– Fajne, nie? – głos Ostapki jest spokojny.

– Cudne! – zachwycam się.

– Lubisz? – Ostapko odwraca wzrok od szosy i patrzy na mnie z przyganą.

– Właściwie lubię.

– A ja ich nie znoszę.

O Boże, żeby tylko szczęśliwie dojechać.

– Masz papierosy? Muszę kupić, zatrzymamy się jeszcze.

W ogóle się nie sprzeciwiam. Trochę mi drżą nogi. Wolałabym jechać z Adamem. On nie widuje krasnoludków.

– Co tak milczysz?

– Ja?

Pociąg, koniecznie pociąg, byleby już być w Berlinie, reszta jakoś pójdzie.

– O, tu się zatrzymamy. – Ostapko staje, w długich światłach jej samochodu buda, jelenie, wazy gliniane i tysiące plastikowych krasnali.

– Krasnoludki! – Radość moja nie ma granic.

– Przecież mówiłam ci, stoją przy szosie wzdłuż całej drogi – Ostapko znowu patrzy na mnie z przyganą.

Dojeżdżamy do granicy. Po prawej kolejka tirów, po lewej osobowe. Ostapko staje pośrodku.

– Co ty robisz? – pytam dzielnie, bo już ku nam biegną jacyś mężczyźni.

– Nie wiem, gdzie mam się ustawić – mówi Ostapko.

– Jak to, nie wiesz?

– Nie wiem, czy mam samochód osobowy, czy ciężarowy.

Robi mi się słabo. Wiem, gdzie siedzę, w osobowym, dużym, eleganckim samochodzie marki Volvo. Ale nie wiem, gdzie siedzi Ostapko.

– To chyba jest ciężarowy – szepcze Ostapko.

Staram się nie stracić zimnej krwi.

– Dlaczego ten samochód osobowy może być ciężarowy?

– Bo ma kratę jak dla psa, nie rozumiesz?

Boże ratuj!

– To nie twój samochód?

– A skąd! – Ostapko się denerwuje.

Pierwsze słyszę, że nie jej.

– Nie ma kraty – mówię cichutko.

– Może ma w bagażniku?

– No, może – postanawiam być zgodna. Z nią nie wszystko jest w porządku.

– O, nie – Ostapko zdecydowanie skręca na lewo.

– Nie staję w tej kolejce. Staję w osobowej.

No jasne. Niech staje, najwyżej nas zastrzelą, przecież w końcu mają broń. Postanawiam być spokojna, zupełnie spokojna. Przekraczamy granicę. Nikt nie strzela. Kupuję za wszystkie pieniądze marki. Może kupię Tosi buty i ten brzeszczot przynajmniej.

Wjeżdżamy do Niemiec. Rzucam okiem na duży napis. *Ausfahrt*. Bardzo przyjemna miejscowość, tylko że jej nie widać.

– Wszyscy śpią o tej porze w Niemczech? – pytam delikatnie, żeby nie zdenerwować jeszcze bardziej Ostapko.

– Dlaczego mają spać? – Widzę, że jest nieskora do rozmów, więc próbuję szybko zmienić temat. – Chcesz soczku?

Przed nami droga jak stół. I znowu napis *Ausfahrt*. Ale my jedziemy prosto. Mija następne pół godziny. *Ausfahrt*. Zaczynam się niepokoić.

– Dobrze znasz drogę do Berlina?

– Tak, a co?

Nic, oczywiście, że nic. Mija następne piętnaście minut i znowu napis *Ausfahrt*. Podejmuję desperacką decyzję.

– Zatrzymaj się!

– Po co?

– Zatrzymaj się!

Ostapko skręca na pobocze i zatrzymuje się.

– Co się stało?

– A to się stało, że już półtorej godziny jeździsz w kółko! Jak wjechałyśmy do Niemiec, to byłyśmy kilometr od *Ausfahrtu*, a teraz jesteśmy siedem kilometrów – nie wytrzymuję.

Ostapko patrzy na mnie z politowaniem, a potem włącza silnik .

– *Ausfahrt* to zjazd, a nie miejscowość.

Wiem, Mój Ojcze, gdybyś był na moim miejscu, tobyś się nauczył niemieckiego...

*

We wtorek jeździmy po Berlinie i szukamy jakiejś firmy. Ostapko wreszcie znajduje na mapie drogę, widzę z daleka Anioła Pokoju, dworzec Zoo, potem jedziemy dwie godziny w stronę jakichś magazynów. Potem szukamy dwie godziny miejsca do parkowania.

– Masz pieniądze? – upewnia się Ostapko.

Pewnie, że mam. Pod pretekstem schowania dokumentów wzięłam od Adama pokrowiec na dokumenty, który nosi się na szyi. A tymczasem mam tam prawie pięć tysięcy marek.

Schodzimy w dół jakimiś metalowymi schodami. Na samym dole mała pakamera. W niej siedzi Franz –

człowiek, z którym Ostapko robi interesy. Daje mu moje pieniądze, czuję przez moment niepokój, ale za chwilę do moich pięciu Ostapko dokłada swoje pięć tysięcy marek. Coś szwargoczą, Franz ściska mi rękę na do widzenia, Ostapko mruga do mnie.

– No to załatwione.

Nie wiem, co jest załatwione, nie wiem, jaki jest związek między magazynami a moimi pieniędzmi, ale Ostapko mnie uspokaja.

– Nie bój się, przecież widziałaś, jak zmieniło się moje życie. Powiedział, że za trzy tygodnie prześle pierwsze pieniądze, może to już będzie koło czterech tysięcy. Ciesz się, że masz mnie. On po prostu je dobrze inwestuje. Tylko niewielu osobom o tym mówię.

Zostaje mi trzysta marek. Będzie na buty i brzeszczot, i wszystko. Właściwie nie mogę teraz zacząć się martwić. Wszystko będzie dobrze.

*

Podjeżdżamy pod dom Marzeny w nocy. Paul Robeson Strasse jest kompletnie zapchana samochodami. O wpół do dwunastej w nocy Ostapko desperacko wjeżdża na chodnik

– Nie mogłaś tego zrobić wcześniej? – pytam nieśmiało.

– Nie mogłam, bo ściągają samochody źle zaparkowane.

Nie pytam o nic więcej. Nie wiem, dlaczego ściągali dwie godziny temu, a teraz już można na chodniku. Nie moja sprawa. Jutro wyjeżdżamy. Zrobimy tylko zakupy w centrum, i do domu. Dzwoniłam dzisiaj, ale nikt nie odpowiada. Nie wiem, gdzie się podziewa Tosia ani dlaczego Adama o tej porze nie ma w domu.

Rano Ostapko wynosi z mieszkania Marzeny niezliczone ilości paczek. Musimy trzy razy zjeżdżać windą.

– Co to?

– Prosiła, żeby zawieźć rodzicom, takie tam... – mówi Ostapko.

Wychodzimy z domu Marzeny obładowane nieludzko prosto na *Polizei*. Za *Polizei* stoi bardzo ładny samochód z dźwigiem. *Abschleppdienst*. Do wywozu źle zaparkowanych samochodów. Na nic rozmowa – nie moja, rzecz jasna, bo ja po niemiecku ani, ani. Dwieście siedemdziesiąt pięć marek przepada. Ostapko nie ma już ani grosza, płacę ja. Chociaż jeszcze nawet nie założyli sznurów, za pomocą których ten samochód Ostapki znalazłby się na dźwigu. I tak nie wierzę, żeby to zrobili. Ale w trakcie wypisywania nam mandatu zakładają sznury na inny samochód. Trwa to sześćdziesiąt sekund. Mój Boże, Niemcy są rzeczywiście znakomicie zorganizowani. Wypisują mandat i rzucają nam przyjazne ,,czuus" przez ramię. Dobrze, że nie ma z nami Adaśka, boby się denerwował.

Bagaże nie mieszczą się w bagażniku. Upychamy torby na tylnym siedzeniu. Jest jedenasta, kiedy kończymy pakowanie. Nareszcie, możemy ruszać. Trzaskam tylnymi drzwiami. Siadam z przodu. Nareszcie! Do ojczyzny miłej!

Ostapko nasłuchuje. Coś cicho szumi.

– Co to?

– Nie wiem. Coś chyba nacisnęłyśmy.

Zamieramy. Cichutki zgrzyt uporczywie dolatuje gdzieś z tyłu do naszych uszu. Ostapko zapala, ale nawet przez cichy szum silnika słychać brzęczenie. Wyłącza silnik i po kolei naciska wszystkie guziczki.

– Psiakrew, w ogóle nie znam tego samochodu.

Ja go nie znam tym bardziej. Wysiadam, otwieram tylne drzwi. Nachylam się nad siedzeniem. Ewidentnie stąd ten szum.

– Może włączyłam podgrzewanie siedzeń? – Ostapko nie może się nadziwić. – Bo chyba silnik jest z przodu.

Sprawdzamy, silnik jest z przodu. Ale z tyłu coś brzęczy.

– Nie możemy tak jechać. Nie wiem, co to jest.

– Jezu – zaczynam się denerwować. – Zrób coś! – Boję się wsiąść do samochodu. Może wybuchniemy? Co jest w tych paczkach?

Ostapko przechodzi do tyłu. Wyjmujemy wszystkie pracowicie zapakowane torby. Pali się małe czerwone światełko z tyłu przy popielniczce. Napis 16 V.

– Co to jest? – pytam ostrożnie.

– Nie mam pojęcia.

Nasłuchujemy. Światełko się pali, ale już nic nie drży. Pakujemy z powrotem torby. Jest dwunasta. Zaczyna szumieć.

– Może pojedziemy do jakiegoś warsztatu? – Ręce mi drżą. – Może to bomba?

Wyjmujemy torby. Przestaje szumieć. Jest dwunasta trzydzieści. Wsadzamy to wszystko z powrotem. Jesteśmy spocone, zmęczone, a z tyłu zaczyna szumieć. Ostapko wczołguje się na pakunki. Sięga do zamka swojej torby i rozsuwa. Wyjmuje elektryczną szczoteczkę do zębów, która kręci się jak oszalała. Naciska guzik. Szum ustaje.

Wsiadamy do samochodu i w milczeniu wyjeżdżamy z Berlina. Za dwadzieścia pięć marek w dużym sklepie kupuję dwie oliwy z oliwek, dwie butelki taniego białego wina dla Adaśka i piling do ciała dla Tosi.

Duży napis *Ausfahrt*. Nie niepokoję się. Podróże kształcą. Uświadamiam sobie, że oto po raz pierwszy od czasu, kiedy Adam pojawił się w moim życiu, zaryzykowałam. Zrobiłam coś dla nas, własnoręcznie. Nie muszę się martwić. Przeszkody są po to, żeby je pokonywać. Za trzy tygodnie wpłyną pierwsze pieniądze. I wtedy poszalejemy. Kto wie, może nawet wybierzemy się do Berlina na zakupy? I zobaczyć ten ołtarz z Pergamonu, i Tosia dostanie ode mnie takie buty, jakie będzie chciała.

A szczoteczka do zębów? Nie wytrzymałabym tego wszystkiego, gdyby nie to, że w porę przypomniałam sobie, jak kiedyś dawno, dawno temu wezwałam pogotowie gazowe, bo mi się gaz ulatniał. Strasznie śmierdział, a Ten od Joli akurat gdzieś wybył. Przyjechało pogotowie w liczbie dwóch przystojnych facetów. Rzeczywiście poczuli, że śmierdzi. Po trzech godzinach szukania przecieków, z nosem przy ziemi, znaleźli w szafie mandarynkę, którą tam cztery miesiące wcześniej schowała trzyletnia Tosia. Mandarynka była fioletowa i sama wychodziła.

Tak że tym razem nie było najgorzej.

Wróciłam

Oj, jak ja lubię być w domu! Tosia była trochę rozczarowana kremem, Adaśko za to ucałował mnie serdecznie i w ogóle nie pytał o brzeszczoty. Niestety, beze mnie radzili sobie doskonale. W mieszkaniu czysto, zwierzaczki nakarmione, Borys nie opuszcza mnie ani na krok, i nie wiem, co to będzie dzisiaj w nocy, bo mamy z Niebieskim inne plany niż spanie z psem. Tosia podejrzliwie zapytała, dlaczego nie kupiłam jej butów. Obiecałam, że już niedługo będzie miała genialne buty, i to niejedną parę!

*

Ani się obejrzałam, a zrobił się czerwiec. Gorąco jak na Hawajach. Tosia w przyszłym roku robi maturę, ale jej stopnie z trzeciej klasy pozostawiają wiele do życzenia.

Zadzwoniła Moja Mama i powiedziała, że stopnie Tosi pozostawiają wiele do życzenia, choć przypomina sobie, że stopnie, które ja miałam w trzeciej klasie, też pozostawiały wiele do życzenia.

Zadzwonił Mój Ojciec i powiedział, że oczywiście spodziewał się, iż Tosia będzie miała takie stopnie na koniec roku, bo poszła w moje ślady, i że gdyby był na moim miejscu, to postarałby się...

Zaczęłam uważać, że Tosia wcale tak źle nie wypadnie na koniec roku. Do matury jeszcze cały rok szkolny i będzie miała czas, żeby się czegoś nauczyć. Nie wiem, dlaczego temu dziecku nie dadzą spokoju.

Wróciłam dzisiaj do domu wcześniej. W redakcji zwolnienia, bo reorganizacja. Trzecia w tym roku. To dziw, że Naczelny się nie zmienia. Dobrze, że jest jakiś stały mężczyzna w moim życiu, nawet jeśli to tylko szef. Po drodze kupiłam serek biały, szczypiorek, rzodkiewki i postanowiłam, że zamienię się w kurkę domową i spędzimy miły wieczór, grając w scrabble. Dzisiaj przyjeżdża do nas Szymon, jutro Adam bierze i jego, i Tosię do Nałęczowa. Ja zostaję w domu i nareszcie odpocznę po napięciach związanych z końcem roku szkolnego (pomyśleć, że jak skończyłam szkołę, to myślałam, że to już nigdy nie będzie mnie dotyczyć!), reorganizacją w redakcji i stanem interesów z Ostapko, która notabene miała zadzwonić w zeszłym tygodniu, a nie zadzwoniła. Poplotkuję z Ulą, a może w ogóle zrobię damski wieczór? Może zaprosimy Renię i Mańkę? Nie ma to jak damskie wieczory. Jednak z mężczyzną żyje się zupełnie inaczej. Taka Renka, na przykład, to wpadnie i zawsze powie coś ciekawego w rodzaju:

— Musisz dbać o cerę, cera to skarb, wierz mi, że jeśli zaczniesz działać już dziś, możesz przechytrzyć czas! – I wyjmie z torby jakieś genialne kremy.

Adam natomiast nigdy nie mówi o przechytrzaniu czasu i kremach. Kobiecie potrzebne są inne kobiety na równi z mężczyznami.

Kiedy przyjechałam dzisiaj do domu, nie powitał mnie nawet pies z kulawą nogą. Borys nie kuleje. Wszystkich wymiotło, nie wiadomo gdzie. Żadnej kartki, żadnej wiadomości – nic. Zabieram się do robienia serka ze szczypiorkiem. Przyznaję, nie jest to żadna filozofia w żadnym znajomym mi domu, oczywiście oprócz mojego. Z serkiem mam kłopot. Tosia lubi serek ze szczypiorkiem bez szczypiorku, tylko z bazylią i odrobiną czosnku. O świeżej bazylii zapomniałam. Adam lubi serek ze szczypiorkiem, ale pod warunkiem, że będzie tam również odrobina rzodkiewek i trochę ogórka, o którym zapomniałam, i nie będzie czosnku. Szymonowi jest wszystko jedno, ale najlepiej, żeby to był sam szczypiorek, bo białego sera nie lubi. Stałam tak w kuchni nad trzema miseczkami i zastanawiałam się, w jaki sposób inne kobiety zaspokajają pragnienia członków rodziny. Czy gdyby moja rodzina istniała od początku, to znaczy gdyby moim mężem i ojcem Tosi był Adam, a Szymon był też naszym dzieckiem, to czy mogłabym teraz mieć przed sobą tylko jedną miseczkę, do której wkroiłabym spokojnie szczypior, a potem wrzuciła biały ser i śmietanę? I nie przejmowała się tym, co kto lubi?

Nad tymi miseczkami zastała mnie Renia, która wpadła po drodze, bo zobaczyła mnie w oknie w kuchni. Podzieliłam się z nią szybko swoimi wątpliwościami, co Renia skwitowała krótkim:

– Z ciebie jest jednak idiotka. Przecież gdybyś była żoną Adama, tobyś już nią nie była, bo się rozwiodłaś. A poza tym musiałabyś urodzić Szymona, kiedy skończyłaś siedemnaście lat. Przecież taka głupia nie byłaś! Ale oczywiście powinnaś się zająć sobą, bo mężczyźni lubią zmiany!

Od słów Reni czasami mi się kręci w głowie. Wypiłyśmy herbatę – powiedziała, że nie jest lekko, o nie, właściwie ciężko, bardzo ciężko, po czym wsiadła do swojego terenowego i tylko koła zapiszczały.

Wobec tego poszłam do Uli po suszoną bazylię. Może Tosia się nie zorientuje. Ula stała nad marną piersią kurzą i zastanawiała się, jak z niej zrobić obiad na cztery osoby. Krzysia nie było w domu, bo pojechał pograć w tenisa z Adamem. Już chciałam się rozczulić nad sobą, że nikt mi tego tenisa nie zaproponował, ale w porę sobie przypomniałam, że przecież nie było mnie w domu. Tosia z córkami Uli, Agatą i Isią, wybrała się na basen i miały wrócić godzinę temu. Ula jednak wydawała się bardziej przytłoczona niemożnością rozmnożenia piersi kurzej niż tym, że dziewczynki się spóźniają. Poradziłam jej, żeby pokroiła pierś kurzą na bardzo drobne kawałki, otworzyła zielony groszek, wrzuciła na patelnię do groszku i piersi kurzej trzy albo cztery marchewki. Potem taką znakomitą smażoną pierś kurzą z dodatkami należy zalać śmietaną z sosem sojowym i jakąś ostrą przyprawą, dodać ryżu i naprawdę jedzenia jest na sześć dorosłych osób. Ula rozjaśniła się, usmażyłyśmy szybko pierś, i rzeczywiście, nawet jak zjadłyśmy dwie porcje, zostało jeszcze przynajmniej osiem. Potem Ula dała mi bazylię i wróciłam do robienia serków ze szczypiorkiem.

Przez okno obserwowałam moje krzaczki przy ścieżce do furtki, mały berberysek nareszcie wziął się do życia po dwóch sezonach nawożenia, trawnik zaczął udawać trawnik angielski (kosiarka plus Adaśko), a dzikie wino wlazło na dach szopy i być może w tym roku już ją przykryje. Szopa jest bezkształtna i brzydka. Jak interesy dobrze pójdą, to zbudujemy nową szopkę. O, Ula postanowiła wyprowadzić Daszę na pola. Teraz są na etapie uczenia swojego psa załatwiania potrzeb naturalnych nie w ogródku, bo Krzyś posiał trawę trzy tygodnie temu. Zeszłoroczna im wzeszła w okręgi. Nie jest to niestety znak UFO, co bez wątpienia naszej wsi przydałoby cech specjalnych, tylko znak, że trawę podgryzają pędraki.

Szymon przyjechał najwcześniej i zapowiedział, że jest po kolacji. Potem nadjechał Adam, który od razu wszedł pod prysznic i stamtąd pokrzykiwał, że właśnie zjadł wspaniałego kurczaka z ryżem u Krzysia i żebym od Uli wzięła przepis, i że myślał, że mnie jeszcze nie ma w domu. Potem przyszła Tosia, wsadziła palec w serek i wykrzywiła się:

– Ojej, z suszoną bazylią...

Prawdę powiedziawszy, musiałam się przez cały wieczór męczyć, żeby udawać, jaka jestem nieszczęśliwa, że zostaję na weekend w domu. W głębi duszy szaleję ze szczęścia. Mój dobry Boże, sama samiutka w domu! Nareszcie! Zrobię sobie maseczkę z truskawek i poleżę w wannie, jak długo zechcę! Z olejkiem brzoskwiniowym. Na pewno przyjdzie Ula i zagramy w scrabble bez facetów, co się mądrzą! Będę mogła spokojnie ogolić nogi maszynką Adama, bo lepsza. A w podróż bierze zawsze elektryczną. Poczytam głupie książki, co ich nie mogę przy nim czytać, bo mówi, że głupie. Och, jaki cudowny weekend! Nic nie będę musiała! Nie zrobię obiadu ani nie poodkurzam. Wyniosę sobie poduszki na leżak i będę leniuchować i leniuchować, aż mi się znudzi!

Rano Tosia wsadziła pod kran swoją blond głowę i zjadła serek z suszoną bazylią, Adam z Szymonem wymyli samochód przed podróżą, czemu się serdecznie zdziwiłam, bo i tak się pobrudzi w drodze, potem wszyscy troje wsiedli i pojechali w siną dal, a ja odetchnęłam pełną piersią. Pomachałam im od otwartej bramy, a potem wróciłam do łóżka z przepyszną bułeczką z niedojedzonym serkiem po Adamie, za mną wskoczył pies Borys, przenosząc na prześcieradło tony piachu, a ja, radośnie krusząc bułeczką, wzięłam się do literatury kobiecej w postaci nieskomplikowanej a kolorowej, której nie musiałam dłużej ukrywać przed Adamem. Zaczęłam od horoskopu, który budzi u niego uśmiech nieco uszczypliwy. Oto, co przeczytałam:

„Zajmij się sobą, miły spacer po uporządkowaniu domu na pewno dobrze ci zrobi. Nie bądź w konflikcie z najbliższymi, postaraj się o wyrozumiałość. Ciekawi ludzie, ciekawe sprawy, i tylko od ciebie zależy, jak spędzisz weekend".

Nie rób sobie kłopotu

Okruszki zaczęły mnie uwierać. Jedzenie w łóżku nie ma już tego uroku co dawniej. Za otwartym oknem darło się ptactwo, a w nogach czułam piasek. Zwlokłam się z łóżka i wygoniłam Borysa do ogrodu. Wsadziłam pościel do pralki i postanowiłam spędzić dzień w zgodzie z naturą i nie być w konflikcie z najbliższymi, którzy już byli daleko i nie mogli mieć wpływu na moje decyzje.

I wtedy zadzwoniła Miśka. Miśka jest kobietą po trzydziestce, która razem z mężem wyprowadziła się pod Poznań i tam żyje szczęśliwie. Od czasu do czasu pisałyśmy do siebie, ale potem korespondencja umarła śmiercią naturalną, chociaż muszę uczciwie przyznać, że ilekroć mamy okazję, widujemy się. Ostatnio jakieś trzy lata temu.

Gdybym miała wskazać osobę, która w ogóle nie chce robić kłopotu – natychmiast przyszłaby mi na myśl Miśka. Och, jakie to przyjemne przebywać z taką osobą. Ustąpi, nie będzie się kłócić, nie postawi na swoim, nie zrobi awantury – sama radość. Ucieszyłam się, bo Miśka zapytała, czy mogą do mnie przyjechać, bo będą w Warszawie.

– Och, cudownie – krzyknęłam. – Wyjdę po was na dworzec!

– Ale nawet mowy nie ma! – krzyknęli w słuchawkę. – Tylko powiedz, jak się do ciebie jedzie, wszystko będzie w porządku, nie rób sobie kłopotu.

– To żaden kłopot, tylko powiedzcie, o której będziecie!

– Ależ w ogóle nie wchodzi w grę, tym bardziej że nie wiemy o której! – głos Miśki zdradzał podniecenie. – Naprawdę nie rób sobie kłopotu, jesteśmy dorośli, trafimy!

– Nie wiecie, jak się do mnie jedzie!

Koniec końców ustaliłyśmy, że będą albo wczesnym popołudniem, albo późnym, może pociągiem, ale raczej samochodem, będą sobie radzić, ale na pewno zahaczą o Warszawę, bo jadą na Mazury. Wytłumaczyłam, jak się do mnie jedzie z Warszawy, i zapytałam, co lubią.

– Ach, w ogóle nie wchodzi w grę, żebyś się z nami liczyła, przecież jedzenie nie jest najważniejsze! Najważniejsze, że się zobaczymy!

Odłożyłam słuchawkę i wpadłam w panikę. Nie mam pojęcia, w co ręce włożyć, jest co prawda pogodny ranek, ale w ogóle nie jestem przygotowana na gości! W lodówce pustawo, a w domu pełen uroku bałagan. Wpadłam do łazienki i zaczęłam nerwowo sprzątać. Okazało się, że w całym domu nie ma czystej pościeli, więc włożyłam do pralki wszystko, co nadawało się do gotowania. Jeśli będzie cały dzień słońce, to wyschnie akurat. Wyjęłam odkurzacz i wyrzuciłam na taras dywany. Ula z Krzysiem siedzieli przed swoim domem. Pili poranną kawę.

– Co się z tobą dzieje? – Krzyś aż podszedł do płotu. – Ty wiesz, która godzina?

Godzina była wczesnoporanna, ale panika ogarniała mnie coraz większą falą.

– Jedziecie na targ? – zapytałam błagalnie.

– Ula, pojedziesz z Jutką na targ? – krzyknął Krzyś w kierunku tarasu.

– A co się stało? – Ula też wyglądała na przerażoną. – Przecież miałaś leniuchować...

– Nie mogę – jęknęłam – będę miała gości.

Ula jak zwykle wzięła sprawy w swoje ręce.

– Za dziesięć minut będę gotowa – powiedziała i oddaliła się dostojnie, a tuż za nią podreptał Ojej, na którego widok nikt już „ojej!" nie krzyczał, ponieważ kudły mu odrosły, Ula go wyczesywała i był już normalnym, pięknym, szarym persem. Który zachowywał się jak pies.

Pożyczyłam dwieście złotych od Renki, żeby moich gości nakarmić godnie i z całą staropolską gościnnością. Kupiłam indyka, schab, śliwki, pomidory, pietruchę i koperek, ziemniaczki, wino dobre, kalifornijskie. Zrobiłam roladę z indyka, upiekłam schabik ze śliweczkami, paluszki lizać, sałata lodowa wypłukana stała w lodówce, bułeczki na niedzielne śniadanko zapewnione, butelka białego wina chłodzi się, a ja znów rzucam się do sprzątania. Koło czwartej wpadam pod prysznic, żyć mi się nie chce, podpieram się nosem, mieszkanie błyszczy, przecież mogą być lada chwila. Czekam.

O siódmej wieczorem Ula pyta przez płot, czy do nich nie wpadnę. No, nie wpadnę, bo czekam. Mogą być za chwilę, za moment, bo przecież już wieczór się zbliża. W domu jestem sama, nikt im drzwi nie otworzy. Więc czekam.

O wpół do drugiej w nocy doszłam do wniosku, że już nie przyjadą, i położyłam się spać. Spałam godzin parę, bo przecież mogą przyjechać rano, więc muszę być wcześnie na nogach. Na nogach byłam o siódmej, żeby uprzątnąć pokój, co to dla nich przygotowałam, pościelić rozścielone wczoraj na noc łóżka i w ogóle zrobić przyjemnie. Zrobiłam przyjemnie, koło jedenastej zjadłam śniadanie i czekałam. Włączyłam telewizor, ale akurat wyliczali, kogo i gdzie znaleźli, i co znalezieni zrobili złego, więc wyłączyłam telewizor i zaczęłam przygotowywać się do obiadu. Ziemniaczki na trzy osoby, schabik do piekarnika, sos do sałaty – francuski, z czosnkiem. O czwartej po południu zaczęło mnie nosić. Może błądzą? Może coś z samochodem? Może dziś moja ulubiona kolejka WKD chwilowo nie chodzi, a oni jadą jednak kolejką?

Wyszłam na stację – kolejka jeździła. O wpół do szóstej po południu zjadłam schabik z chlebem, bo skręcałam się z głodu. O siódmej w desperacji pełnej obejrzałam dobranockę i dziennik, żeby dowiedzieć się czegoś o wypadkach kolejowych tudzież samochodowych. Owszem, sporo tego było. O ósmej wysłuchałam prognozy pogody. Zaczęłam się zastanawiać nad telefonem do informacji o wypadkach, ale nie wiedziałam, czy jadą swoim ślicznym białym nissanem, czy nie. O dziewiątej pościeliłam łóżka, a o dziesiątej poszłam na chwilę do Uli, żeby się przestać denerwować.

– W ogóle już się nie pokazujesz. Dobrze, że Adam raz na jakiś czas wyjeżdża – powiedział Krzyś, przypominając mi, że jestem kobietą uzależnioną.

Wtedy właśnie przyjechali. Samochodem. Stanęli pod bramą i inteligentnie zatrąbili. Rzuciliśmy się sobie w ramiona, prowadzę ich do pokoju.

– Ale chyba zwariowałaś, żeby sobie taki kłopot robić! – krzyczą.

Ściągają pościel, wyjmują śpiwory, kładą na łóżku. Odrobinę się tylko opłuczą, podróż straszna, jedzenie podłe, rzucam się do kuchni, włączam pod ziemniaczkami i schabikiem, zalewam sałatę sosem, oni się pluszczą w łazience, ja nakrywam stół, wino, świece i te rzeczy.

– Dlaczego ty sobie tyle kłopotu narobiłaś! – jęczą po wyjściu z łazienki. Ona świeżutka, on ogolony. – Po co? Obiad jedliśmy w Warszawie, Artur nie je w ogóle mięsa, z alkoholi tylko pijemy wódkę, mniej szkodzi na wątrobę, ha, ha, nie przejmuj się w ogóle nami! Mamy w samochodzie pół litra.

Wnoszę schabik, ziemniaczki, sałatę, rolada z indyka wygląda fantastycznie. Jestem z siebie dumna, już wiem, że im się coś przesunęło, ale przecież mówili, że będą niezobowiązująco, żeby mi nie robić kłopotu, więc postanawiam się cieszyć.

– Ależ po co to wszystko? Przecież mówiliśmy ci, że w ogóle nie jesteśmy głodni. Może tylko sałata.

Przynoszę sałatę, odnoszę roladę.

– Och, z czosnkiem to ja nie mogę. Nie masz przypadkiem odrobiny winegretu?

Idę do kuchni, przynoszę miseczkę z resztką wypłukanej sałaty, olej, cytrynę, sól, pieprz, stawiam na stole.

– Ach, olej tylko taki? Z oliwek wolimy, nie, za to dziękujemy, ale nie rób sobie kłopotu, siadaj, czemu tak biegasz i biegasz.

– Może herbaty?

Chcę naprawdę być gościnna.

– O, herbaty chętnie, chętnie, herbata po długiej podróży nam się należy, ha, ha.

Wstawiam wodę. Stoję nad czajnikiem elektrycznym, dzbanek przygotowany, filiżanki też. Przynoszę herbatę.

– Czarna? Ojej, my tylko zieloną, ale nie szkodzi, napijemy się wody. Gorącej.

Biegnę po wodę.

– Masz tylko z kranu? Lepsza jest ze studni głębinowej, ale nie szkodzi. Może masz mineralną?

– Mam.

Idę do kuchni, wyjmuję ostatnią butelkę mazowszanki.

– Ojej, z gazem?

– Nie, bez.

– Ale wygląda jak z gazem, prawda? Dlaczego w ogóle nie usiądziesz, nie można z tobą zamienić słowa. Chyba mamy w samochodzie resztkę z drogi, niegazowanej, skocz, Artur, a ty, Judytko, nie rób sobie kłopotu.

Artur skacze po wodę niegazowaną do samochodu.

Ziemniaki z koperkiem parują na stole.

– Ty jesz ziemniaki? – Miśka jest uprzejma, a ja głodna. – Bo my głównie kaszę. Najlepszy jest długoziarnisty ryż ciemny. Och, jak się cieszę, że się widzimy!

– Ja również. – Nakładam sobie ziemniaki i sałatę.

– Nie chcieliśmy ci robić kłopotu, więc zjedliśmy coś przed chwilą dosłownie, tuż przed wyjazdem z Warszawy. Z tym, że ciężko do ciebie dojechać, właściwie chcieliśmy być już wczoraj, ale byśmy przyjechali wieczorem, to nie chcieliśmy ci kłopotu robić. No, to twoje zdrowie!

Wynoszę schabik i ziemniaczki do kuchni, rolada z indyka nietknięta, wódeczka leje się strumieniem szerokim, bo oni tylko wódkę. Wino korkuję, może do jutra nie zwietrzeje.

– Nie chcemy ci robić kłopotu, ale czy możemy ustawić samochód jednak trochę bliżej domu?

Bliżej domu to ja mam róże i tawuły.

– Miśka, ale tutaj mam róże i tawuły – mówię odważnie, bo kurs asertywności mam za sobą, jako osoba odpowiadająca na listy.

Droga pani Alu,
asertywność jest umiejętnością wyrażania własnego zdania bez urażania cudzych uczuć, umiejętnością obrony własnych poglądów w sposób nieagresywny...

– Och, Artur będzie uważny, gdyby to miał być kłopot, to oczywiście w żadnym wypadku... może przecież stać przy bramie...

– To może niech tam zostanie, przecież bramę i tak zamykam na noc.

Twarz Miśki robi się czerwona.

– Oczywiście, jeśli robi ci to różnicę, to oczywiście... choć ja nie mogę spać, jak wiem, że samochód niezabezpieczony.

I dowiaduję się, że nie wykupili OC czy AC, czy może jeszcze jakichś innych liter. Jestem gościnna i oczywiście Artur podjeżdża blisko domu. Jakieś trzydzieści centymetrów od tawuły. Kładziemy się spać. Śpię jak zabita parę godzin. Raniutko budzi mnie ciche pytanie Miśki.

– Judytka, śpij, ale powiedz tylko, gdzie tu jest sklep, to Artur podjedzie po bułki.

– Mam pieczywo – mruczę i zwlekam się z łóżka. Głowa mi pęka.

– Ale my z bułek jemy tylko grahamki...

Nie ma sprawy, otwieram bramę, Artur wyjeżdża tyłem i rozjeżdża jedną tawułę, staje, wysiada, przeprasza, macham ręką, niech już jedzie, przejeżdża maleńki berberysik, który właśnie zdecydował się nie zdechnąć.

Wchodzę do łazienki. Odkręcam wodę i marzę o cudownym, długim prysznicu. Pukanie do drzwi. Skręcam wodę, uchylam drzwi. Miśka ma przepraszający wyraz twarzy. Nie chciałaby mi przeszkadzać, ale coś się stało w kuchni. Owijam się ręcznikiem i wchodzę do kuchni. Pokrywa od zamrażalnika zerwana.

– Myślałam, że masz lód – mówi, a jej oczy przepraszają. – Bo rano to ja tylko sok, sok z lodem. Ach, ta wczorajsza wódeczka...

Wyciągam lód, próbuję coś zrobić z zamrażalnikiem. Nie udaje mi się.

– Mogę wziąć kąpiel? – Miśka wchodzi do łazienki. – Taka jestem wykończona.

– Oczywiście. – Pokazuję jej, gdzie stoi płyn do kąpieli, i ubieram się. Jeśli Miśka weźmie kąpiel, z prysznica nici. Woda w termie będzie grzać się przez dobrych parę godzin.

Wyjeżdżają przed południem, bo nie chcą robić kłopotu, zjedzą coś w drodze i było strasznie miło. Zostaję z roladą, schabem i wczorajszymi ziemniaczkami.

Opadam ciężko na fotel i sięgam po kolorowe pisemko.

„Zajmij się sobą, miły spacer po uporządkowaniu domu na pewno dobrze ci zrobi. Nie bądź w konflikcie z najbliższymi, postaraj się o wyrozumiałość. Ciekawi ludzie, ciekawe sprawy i tylko od ciebie zależy, jak spędzisz weekend..."

Jak ja się cieszę, że nie byłam w konflikcie z najbliższymi, co szczęśliwie wyjechali sobie do Nałęczowa. I ją już chcę, żeby wrócili. Z przyjemnością będę robić trzy miseczki serka. A niech mi robią kłopot. Byłabym przysięgła, że Miśka i Artur siedzieli przynajmniej dwa tygodnie! Z tego wysnułam w pierwszej chwili śmiały dość wniosek, że mam niedobry charakter. Ale potem zmodyfikowałam własne zdanie o sobie. Bo ja naprawdę bardzo lubię ludzi. Ale wolę tych, którzy chcą zrobić kłopot.

I właściwie teraz to ja bym chciała gości kłopotliwych. Takich, co zadzwonią i powiedzą: „Słuchaj, wyjdź po nas na dworzec, nie jemy mięsa, bośmy wegetarianie. Kup nam grahamki i serek odtłuszczony. Musimy blisko domu postawić samochód, jest miejsce?"

I wtedy ja z radością przesadzę berberysiki, pojadę na zakupy, zdrowo się przy nich odżywię kaszką czy innym długoziarnistym, a oni docenią moją gościnność. I Adaśko nie będzie się śmiał, gdy mu będę opowiadać, jakich miałam gości.

Dlaczego ona nie dzwoni?

Czerwiec w ogrodzie jest boski. Było parę dni deszczu i wszelkie zielsko podskoczyło o dobrych kilkadziesiąt centymetrów, a trawa znów domaga się strzyżenia, ale i tak widać strzelające w górę grube laski juki. Będzie kwitnąć, choć wszyscy sąsiedzi twierdzili, że juka kwitnie tylko wtedy, kiedy jej się podoba i gdzie jej się podoba. Widocznie u mnie jej się podoba. Wczoraj była Moja Mama. Westchnęła ciężko na widok chwastów na skalniaczku, a potem to wszystko wypieliła. Portulaka będzie piękna tego roku, mięsiste łodyżki są grube i gęste. Trochę nie mogę sobie znaleźć miejsca. Ostapko nie dzwoni, a miała zadzwonić i powiadomić mnie, co dalej z naszym znakomitym interesem. Ukrywam skrzętnie przed Adamem wyciągi z banku, rachunków nie otwieram – i tak wiem, co tam jest. Tosia pyta, gdzie pojedziemy na wakacje i kiedy zapłacę za jej obóz wędrowny. Adam wczoraj usiadł przed komputerem i zasępił się. Coś mu się znowu zawaliło. Cały wieczór dzwoniłam do Ostapko. Nikogo nie było w domu. Ostatni raz o wpół do dwunastej w nocy. Irracjonalnie zaczynam się niepokoić.

*

Tosia zapowiedziała, że dzisiaj nie idzie do szkoły, bo i tak to śmiech na sali, lekcji nie ma, stopnie już dawno wystawione, nic nie robią, i żebym napisała jej usprawiedliwienie, bo ona chce jechać z Isią do Warszawy kupić kostium kąpielowy. Skonsultowałam się z Ulą. Dość tych teorii, że należy dzieciom pozwalać na to, na co one sobie pozwalają bez nas, dorosłych. I to Ulowe: „zgadzaj się, jeśli nie masz innego wyjścia", nie zdaje egzaminu. Jeśli Ula pozwala Isi nie iść do szkoły, to jej sprawa. Tosia w tym udziału nie będzie brała. Zadzwoniłam do Uli w nastroju bojowym i pytam:

— Ula, co dzisiaj robi Isia i dlaczego nie idzie do szkoły, przecież do końca roku szkolnego tylko dwa tygodnie.

I usłyszałam w słuchawce najpierw ciszę, dopiero po chwili cichutkie:

— Jutka, a dlaczego ty myślisz, że Isia nie idzie do szkoły?

Zatkało mnie. Tośka weszła do pokoju i zaczęła rozpaczliwie machać rękami. Zbaraniałam. Moja własna córka mi zaufała, a ja natychmiast doniosłam na Isię? Moja córka była uczciwa, a Isia nic Uli nie powiedziała? I jak ja teraz wyglądam? Jak będzie wyglądać nasza przyjaźń? Jak będzie wyglądać przyjaźń Tosi i Iśki? Co ja narobiłam? I jak ja mam z tym żyć? A Tosia stoi przede mną w błagalnej pozie, a oczy ma jak sarna przed celnym strzałem myśliwego, nogi się pode mną ugięły i mówię wesoluchno do słuchawki:

– Żartowałam. Chciałam cię prosić, żebyś napisała Isi usprawiedliwienie, dziewczynki się umówiły, że pojadą do Warszawy, właściwie na te trzy lekcje nie muszą iść (co ja plotę?) i tak sobie pomyślałam, że może cię przekonam wyjątkowo, że...

Tosia wznosi oczy do nieba, co chyba wyraża dozgonną wdzięczność, a ja robię się wściekła na siebie, na nią, na to, że dałam się wmanipulować, i wszystko chcę odwołać natychmiast, ale zasłaniam ręką słuchawkę i mówię do Tosi:

– Ale do końca roku nie opuścisz ani jednego dnia, przysięgnij.

Tosia kiwa potakująco głową, a Ula mówi do słuchawki:

– Wiesz co, trochę ci się dziwię, bo do końca roku dwa tygodnie, nie widzę powodu, żeby...

Wiem, co chce powiedzieć, ale brnę dalej:

– Chciałam, żeby Tosia odebrała od Mojej Matki parę książek, a wolę, żeby nie jeździła po nocy, i pomyślałam sobie, że dobrze będzie, jeśli... Może zrobimy wyjątek? Sama mówiłaś, że jak nie ma innego wyjścia, to się trzeba zgodzić.

– Ale my mamy inne wyjście. Dziewczyny powinny być w szkole.

– Ulka, mają dzisiaj tylko trzy lekcje. I obiecały, że do końca roku nie będą kombinować. Może to nam się opłaci? Obdarzają nas dużym zaufaniem, jeśli zamiast po prostu iść na wagary...

– Może masz rację – szemrze Ula. – Ale nie poznaję cię, Jutka.

Ja też siebie nie poznaję. Odkładam słuchawkę, a Tosia podskakuje ze szczęścia do góry.

– Ale jesteś kochana, mamuś! Dasz pieniądze na kostium?

Daję, oczywiście.

Tosia wybiega do kolejki, z okna widzę, jak dołącza do niej Isia, i wpadam w minorowy nastrój. Jestem stara. Przecież nie tak dawno to ja miałam siedemnaście lat i marzyłam o kostiumie kąpielowym. I nawet mi się nie śniło, żeby prosić rodziców o pieniądze na taki kostium, może dlatego, że byle kostium mnie nie satysfakcjonował. Wymyśliłam sobie przepiękny amarantowy kostium kąpielowy z Peweksu. Peweksy to były w zamierzchłych czasach sklepy, w których za dolary można było kupić to, czego nie było w normalnych sklepach ani za dolary, ani za złotówki. Kostium kosztował osiem dolarów, którą to sumę pożyczyłam w tajemnicy przed rodzicami od zamożnej koleżanki.

O matko moja, jak ja wyglądałam w tym kostiumie! Wiedziałam, że świat będzie leżał u moich stóp! Będę sensacją na plaży! Na razie, czyli przed wyjazdem, musiałam oddać dług i w tym celu na cały lipiec zatrudniłam się sezonowo w Horteksie.

Właśnie. Dlaczego Tosia nie może się zatrudnić sezonowo w Horteksie? Dlaczego bierze ode mnie pieniądze, zamiast być pomocą cukiernika? Ja zostałam pomocą kuchenną na cały lipiec. Do obowiązków pomocy kuchennej należało sprzątanie, a do praw jedzenie bez ograniczeń wszystkich dobrych rzeczy, lodów, deserów itd. Korzystałam z praw i obowiązków tak wytrwale, że już po tygodniu mogłam zwrócić dług oraz odkładać na te sierpniowe wakacje, kiedy to świat będzie leżał u moich stóp. Kostium oglądałam codziennie wieczorem, marząc o chwili, kiedy nad morzem polskim pojawię się w nim jak cudo. A wtedy świat legnie u moich itd.

Kremówki i lody przestały mi smakować po siedmiu dniach. Wtedy przerzuciłam się na ananasy z puszki i krem do tortów, który cukiernicy dawali nam w małych miseczkach do spróbowania. Trzy tygodnie minęły jak z bicza strzelił. Nocny pociąg osobowy wiózł mnie nad polskie morze wieczność całą, a kostium leżał na dnie plecaka i poprawiał mi samopoczucie, aż do chwili, kiedy rozlokowawszy się w wynajętym pokoju, zorientowaliśmy się wszyscy, że owszem, jest tanio, bo do morza trzy i pół kilometra.

Przez całe trzy i pół kilometra wyobrażałam sobie, co to będzie, kiedy wreszcie włożę swój niezwykły kostium w kolorze amarantowym i jak ten świat legnie u moich stóp, a wszyscy zawyją z zachwytu. Do dziś żałuję, że droga nad morze nie trwała dłużej.

A potem... Na plaży, zasłonięta kocem przez przyjaciółkę, próbowałam dłuższą chwilę wcisnąć się w amarant. Najpierw poszedł szew przy ramiączkach od stanika. Potem okazało się, że stanika nie można zapiąć na plecach. Wszędzie się wrzynało, piło, ciągnęło. Pod stopami zamiast świata miałam tylko piasek. Właściwie było tak, jak chciałam. Przez dwa tygodnie wzbudzałam sensację, kąpiąc się w krótkich spodenkach i koszulce koloru zielonego, który był wyjątkowo nietwarzowy.

Rozmyślaniom o kostiumie kąpielowym oddawałam się, usiłując powkładać różne przedmioty, przyprawy do koszyczka z przyprawami, czyste talerze do szafki, a brudne kubki po śniadaniu do zlewu. Przy okazji znalazłam dwa rachunki do zapłacenia, o których zapomniałam, wetknięte za stolnicę, a swobodny strumień moich myśli znów popłynął ku banknotowi stuzłotowemu, który dałam Tosi. Kot Zaraz wskoczył na stół. Spędziłam go czym prędzej, ponieważ smutna historia mojego kostiumu to nie powód, żeby koty chodziły po stole. Moje zasoby finansowe pomniejszyły się o następne sto złotych, taka jest smutna prawda. Muszę skontaktować się z Ostapko. Ostatnie dwie noce prawie nie zmrużyłam oka. Może nie powinnam była pochopnie podejmować tak ważnych decyzji? Ale przecież ludzie są uczciwi. I ona chciała dla mnie dobrze. Zabiorę się do pracy i zaraz mi zły nastrój minie. Może jednak najpierw zadzwonię do redakcji, w której pracowała Ostapko, i tam się czegoś dowiem?

W redakcji „Expressu Porannego" traktują mnie grzecznie. Owszem, pracowała. Owszem, już nie pracuje. Owszem, niestety nie mają z nią kontaktu. A w jakiej sprawie, może mi pomogą? Nie mogą. Ale słyszeli, jakoby być może ewentualnie ostatnio zatrudniła się na Bartyckiej w dziale sprzedaży BCHW. Dzwonię do informacji, podają mi numer na Bartycką. BCHW ma prawdopodobnie wewnętrzny 176.

Włączam komputer, przecież zaraz siądę do tych listów, ale na razie chodzę z telefonem po domu. Dlaczego mnie tak nosi? Przecież nie z powodu kostiumu Tosi. Na Bartyckiej nikt nie odbiera. Jest tam zaledwie milion sklepów i działów sprzedaży, więc dlaczego miałby ktoś odbierać?

Czekam uparcie, aż telefon przechodzi z długiego sygnału na sygnał krótki. A potem dzwonię jeszcze raz i jeszcze. Uparłam się. Wreszcie jakiś chropawy głos damski warczy w słuchawkę:

– Słucham!

– Czy mogłaby mnie pani połączyć z numerem 176?

I cisza. A potem w oddali smętny sygnał nieodbieranego telefonu. Czekam i czekam w nieskończoność, ale dlaczego znowuż, jak mawia Renka, miałby ktoś pracować o tej porze, to jest około dwunastej w południe, w dzień powszedni?

Dzwonię raz jeszcze na centralę. Znajoma chropawość:

– Słucham!

– Bardzo przepraszam, czy może pani sprawdzić, czy numer 176 to numer BCHW? – wkładam w swój głos tyle słodyczy, że ani chybi zemdli mnie za chwilę.

– Pani nie wie, jaki wewnętrzny, i pani dzwoni? Ja też nie wiem, jaki wewnętrzny. – Babsko w słuchawce załatwia mnie krótko i ostro.

– Czy byłaby pani tak uprzejma i sprawdziła, czy ten wewnętrzny na to stoisko...

– A jakim sposobem ja pani sprawdzę, co? – satysfakcja w jej głosie jest przerażająca.

– Czy przypadkiem pani nie wie, czy to stoisko jest czynne? – ponawiam próbę.

– A skąd ja mogę wiedzieć? – Pretensja w głosie wylewa mi się prosto do ucha, muszę odstawić dalej słuchawkę.

– Myślałam, że pani tam pracuje.

– Ja wiem, proszę pani, to, co mnie centralka odpowiada, ja nie chodzę po Bartyckiej i nie sprawdzam, pani sobie przyjdzie i sprawdzi, czynne czy nieczynne, jak pani ma za dużo czasu. Bo ja tu pracuję, a nie zajmuję się głupotami! – I trzask słuchawki.

Moje pieniądze

Nie wiem, co mam robić. Ostapko miała zadzwonić parę dni temu. Ach, co ja mówię. Prawie dwa tygodnie temu. I nic, i cisza. Moje niepomnożone pieniądze spoczywają w jej rękach, a mój mnożący się jak myszki japońskie strach o te cholerne pieniądze wzrasta z każdą minutą. Teraz nawet nie mogę powiedzieć Adamowi, o co chodzi, bo przecież umówiliśmy się, że wszystkie ważne decyzje podejmujemy razem, a ja ten interes przed nim ukryłam. Zawsze mogę wziąć kredyt, który mnie zabije, ale nie jesteśmy małżeństwem, więc nie on będzie odpowiadał finansowo, gdyby... Oblewam się zimnym potem. Nawet nie chcę myśleć, co by było, gdyby... Wracam do komputera.

Droga Redakcjo,
w moim życiu tak się porobiło, że boję się wszystkiego. Nie jeżdżę nawet autobusami do matki, choć mieszka o dwa kilometry. Pan Bóg mi dał wszystkie wady, jakie człowiek może mieć. Już nawet nie patrzę do lustra. Ale

*najgorsze to to, że nie mam co ze sobą zrobić. Wydaje mi
się, że zaraz się coś stanie, tylko nie wiem co. Nawet
byłam u lekarza, ale on powiedział, że to nerwica. Nie
wiem, co to jest nerwica. Nie chce mi się żyć. Może gdybym coś zmieniła, zrobiła sobie jakąś operację plastycz-
ną czy co, to byłoby lepiej. Myję bez przerwy ręce, ale już
mi się rany porobiły, i dlatego lekarz mówi, że to nerwica.
Czy ja umrę?*

Nie oddała komuś swoich wszystkich, a właściwie
nieswoich pieniędzy i ma problem. Mnie też się wydaje, że zaraz się coś stanie. I też by mi się przydała
operacja plastyczna. Idę do pokoju Adama i wyciągam
ze stosu innych książkę o zaburzeniach psychosoma-
tycznych.

„Nerwica stanowi pojęcie zbiorcze dla różnego
rodzaju objawów czynnościowych i zespołów choro-
bowych, których przyczyną jest reakcja na jakiś ujem-
ny bodziec środowiskowy czy emocjonalny".

Na przykład taki bodziec, jaki sobie zafundowa-
łam ja. Na przykład, jeśli weźmiesz ze wspólnego konta wszystkie pieniądze, nie mówiąc mężowi, i zain-
westujesz je w Ostapko. Z tym, że ja nie mam męża.

„Oprócz częstych objawów wegetatywnych nie
stwierdza się żadnych typowych zmian w stanie
fizycznym. Nawet najbardziej odporny człowiek
w szczególnie trudnej sytuacji życiowej może zare-
agować objawami nerwicowymi, jak pocenie się, czer-
wienienie, skurcze spastyczne jelit, biegunki, jąkanie
się, uczucie pustki w głowie".

Boli mnie brzuch, jak pomyślę o Ostapko. Czy to objaw nerwicowy? Mam pustkę w głowie. Nie jestem w stanie skupić się na niczym innym, tylko na tych cholernych pieniądzach. Jeśli do tego dołączą się spastyczne skurcze jelit...

„Objawy takie towarzyszą często pospolitym sytuacjom życiowym: egzamin itd. Nikt nie rozpoznaje w takiej sytuacji nerwicy, chociaż opisane objawy..."

Czy mam to wszystko przepisać? Po co komu ta wiedza? Czy od tego ona przestanie się bać autobusu? Albo pomyśli, że jest piękna i nie musi robić operacji plastycznej, która wpłynie kojąco na pracę mózgu? Dlaczego właściwie dałam pieniądze obcej kobiecie, z którą raz w życiu miałam do czynienia i która właściwie nie wzbudziła mojego zaufania? Nie mogę tak myśleć. Spokojnie. Muszę odpisać na ten cholerny list, człowiek oczekuje ode mnie pomocy...

„Najczęściej nerwica rozwija się wskutek ujemnych bodźców powtarzających się przez dłuższy czas. Czasem chodzi tu o te same czynniki, czasem kilka różnych przyczyn nakłada się na siebie. W zależności od odporności osobniczej, a także cech wrodzonych, nerwica może rozwinąć się..."

Właśnie, cechy wrodzone, jakie właściwie są moje cechy wrodzone? Naiwność? Głupota? Chęć dorównania Rence? Żeby Adam nie zwracał na nią uwagi, tylko na mnie? Czy to jest cecha?

„...mają różnego rodzaju trudne przeżycia emocjonalne, np. nieporozumienia z partnerem seksualnym..."

Będę miała nerwicę, i to jaką! Mój Adasiu Niebieski, przecież ja cię nie chciałam oszukać, tylko pożyczyć i zrobić nam wszystkim dobrze! I nie wpędzać cię w poczucie winy, że nie zarabiasz tyle co mąż Renki... A może ja podświadomie chcę, żebyś zarabiał tyle co jej mąż? I żebyś był moim... Stop.

„Można zresztą mówić wtedy o strachu, a więc o stanie, w którym istnieją konkretne przyczyny niepokoju. Trudno znaleźć granicę między lękiem fizjologicznym a patologicznym. O patologii mówimy wtedy, kiedy lęk jest stały i utrudnia nam pracę..."

O patologii w moim przypadku w ogóle nie może być mowy. Czy mój strach ma wpływ na moje funkcjonowanie w pracy? Nie. Przecież siedzę i pracuję, jak gdyby nigdy nic. Boże, co ja zrobię, co ja zrobię, Adam! Wróć z tej cholernej pracy i powiedz mi, jak mądrze odpisać! Odkładam list. Powinien odpisać lekarz. Nie mogę szkodzić.

Dlaczego Azor lubi Adama?

Droga Redakcjo,

nie znalazłam w Waszym piśmie czegoś ważnego, o czym ludzie powinni się dowiadywać z gazet. Nie wszczynacie ważnych rozmów o zasadach, które wskazują sposób życia przynoszący korzyści również pod względem fizycznym. Na przykład „zachowanie umiaru w nawykach" służy zdrowiu (I Tym. 3:2). A przecież jeśli będziemy się kierować zasadami słowa Bożego, będziemy szczęśliwszymi ludźmi. I każdy, kto będzie przejawiał spokój wewnętrzny płynący z Biblii, stanie się lepszym mężem lub żoną. Wy piszecie tylko o seksie i o tym, co robić, żeby seks zawładnął całym naszym życiem. Jeśli dalej będziecie tak postępować, doprowadzicie ludzi do degeneracji. Nie szerzycie dobrych idei...

Co ja mam odpisać? Czy seks doprowadza do degeneracji? Mnie nie. Ale innych może doprowadzić, na przykład doprowadzi kiedyś do degeneracji Tego od Joli, który nie oglądając się na rodzinę, stop, teraz muszę pomyśleć o nim siedem dobrych rzeczy. Przychodzi mi to z trudnością, ale Ula mi powiedziała, że duszę leczy się w bardzo prosty sposób. Jeśli pomyślisz o kimś, że jest świnia (albo inaczej, bo świnia czasem to zacny eufemizm), to natychmiast masz pomyśleć o siedmiu jego dobrych cechach, żeby nie zostawiać złej energii w kosmosie. Ula w ogóle nie wierzy w energię ani w kosmos, ale mówi, że to dobre ćwiczenia na przytępienie rozdętego *ego*, które każdy z nas hoduje sobie w samotności. Nie przychodzi mi do głowy siedem dobrych rzeczy związanych z Tym od Joli, bo od miesięcy wszystkie dobre rzeczy kojarzą mi się tylko z Adaśkiem. Ale spróbuję. Po pierwsze – dzięki niemu mam Tosię. Po drugie... kiedyś mi wyjął masło z lodówki, żebym miała miękkie... Po trzecie... nigdy mnie nie uderzył. Ale kapitalnie mi to idzie, doprawdy. Również nikogo nie zabił, nie okradł. Wróć. Po trzecie... będzie się miał z pyszna, jak Jola za dziesięć lat rozejrzy się za rówieśnikiem. I bardzo dobrze! I świetnie, tylko niestety będzie już za późno na żałowanie tego, co się zrobiło własnej byłej żonie, która będzie bardzo szczęśliwa.

Otwieram szeroko drzwi do ogródka. Praca w domu ma swoje bardzo dobre strony, wtedy kiedy pada albo jest obrzydliwie, albo wieje silny wiatr, albo jest zima. Ale kiedy czerwiec się całkowicie rozpanoszy i słońce świeci jak oszalałe, i wychynęły z ziemi wszystkie dorodne roślinki, które zakwitną lada moment, praca w domu wymaga bardzo silnej woli.

Zanim siądę do komputera, mogę spokojnie przejść się do Renki, która dzwoniła, żeby przyjść, bo kupiła za dużo róż i niektóre jej nie pasują. Odda za darmo. Może też kupiła za dużo narzędzi, bo mi stylisko od grabi amerykańskich pękło i widły są nie do użytku, albo ma za dużo grabi... Spacer mi świetnie zrobi, tym bardziej że to niedaleko. Czasami zastanawiam się nad niesprawiedliwością losu. Taka Renka ma wszystko. Prawdziwego ślubnego męża, pieniądze, służącą, nie musi pracować, chodzi do kosmetyczki i na masaże limfatyczne. Jedyna jej wada to rottweiler, który jest olbrzymi i czarny, i nie pociesza mnie to, że jeszcze nikogo nie zagryzł. Zamykam dom i wychodzę na drogę. Świat czerwcowym przedpołudniem jest zachwycający. Do Renki jest może osiemset metrów, ale te osiemset metrów prowadzi wśród brzóz, i świeże liście lekko trzepoczą człowiekowi nad głową. Mijam stary dąb i olbrzymi dół, w który przed paroma miesiącami wpadł samochód Adama, że aż miska olejowa pękła. Dół jest groźny, coś kopali, a potem zapomnieli o nim, gliniasta, czerwonawa ziemia robi się w tym miejscu po deszczu zdradliwa. I dlatego właśnie Renka dostała od męża samochód terenowy. Staję przed jej bramą. Azor, jej uroczy rottweiler, biega wzdłuż siatki. I nie szczeka. Dzwonię. Renka w zielonej sukience biegnie do furtki.

– Judyta, tak się cieszę, że wpadłaś!

– Zamknij psa. – Stoję przed furtką i się nie ruszam. – Ja po te róże, co mówiłaś...

– Róże czekają, a z Azorem daj spokój, on jeszcze nigdy nic nikomu nie zrobił!

Ale mi argument. Mój Eksio do pewnego momentu też mi nigdy nic nie zrobił.

Renka zamyka Azora w dużym boksie w kącie ogrodu. Nie wiem, dlaczego nazwali psa Azor. Azor, jak sama nazwa wskazuje, to jest przyjemny mały kundelek, a nie zabójca, z miną zabójcy w dodatku.

– Nie histeryzuj – mówi Renka – tylko ty tak na niego reagujesz. I on się denerwuje.

Adam na przykład w ogóle się go nie boi. Renka swoje czerwone włosy skręca w ogon i zarzuca na plecy. Jest oszałamiająca i wolałabym, żeby mówiła o swoim mężu, a nie o moim Adamie.

– Chodź, napijemy się martini z lodem. Jest tak gorąco.

Martini? Z lodem? Przed południem? W dzień powszedni? Czemu nie. Można i tego spróbować. Wchodzę posłusznie za Renką do domu. Jej salon ma przynajmniej czterdzieści metrów. Już się do tego przyzwyczaiłam. Ale najpiękniejsza u nich jest łazienka. Jak mi ją pokazała, to prawie osłupiałam. Matko moja, jak ze snu. W rogu ogromna wanna jaccuzi, prysznic wpuszczony w podłogę, tak że się schodzi do niego po schodkach, dwa olbrzymie fotele rattanowe, drzwi do sauny i sama sauna, do której może naraz wejść pięć osób. W poprzek lustra, które zajmuje całą ścianę, wisi biała gładka półka, a na niej jest ustawiony cały sklep perfumeryjny. Przedmiot mojej wielkiej zazdrości. Jak ja bym miała takie kremy i takie perfumy, tobym wyglądała jak Tosia.

Renka mimo pogodnego czerwcowego dnia jest nie w humorze. Nalewa nam martini, dodaje lodu i prowadzi mnie do ogrodu. Wyciągamy się na leżakach.

– Na nic nie mam czasu – wzdycha Renka i zdejmuje z siebie zieloną sukienkę. Pod spodem ma kostium, również zielony. Jest już opalona, co powoduje u mnie lekki przypływ lekkiej zazdrości. I gdyby chociaż była troszkę za tłusta albo miała cellulitis, malutki, chociaż jeden malusieńki, łatwiej byłoby mi to znieść, choć oczywiście nie życzę jej, Boże broń, niczego takiego.

– Ty nie masz czasu? – uśmiecham się i zanurzam usta w chłodnym martini. To jest życie. Nieumiarkowanie w radości.

– No a co ty myślisz? Tego wszystkiego dopilnować – ręka Renki miga złotem obrączki, kiedy wskazuje na swój przyszły ogród.

Nie komentuję. Jak tu wytłumaczyć zupełnie szczęśliwej osobie, że ma wszystko, czego dusza zapragnie. Może dbać o siebie, kochać sobie spokojnie swojego męża, myśleć o przyszłości, robić coś dobrego dla świata, bo ani etat jej nie zmusza do przebywania poza domem, ani brak pieniędzy do myślenia o tym, co będzie jutro. W przeciwieństwie do rzeczywistości, która mnie dopada, kiedy tylko pomyślę o tych cholernych, rozmnażających się tajemniczo pieniądzach. Ale nie będę o tym myśleć. Jutro pojadę do Warszawy i wykopię Ostapko choćby spod ziemi.

Na płocie nad obrażonym Azorem siada sójka i zaczyna prowokująco się zachowywać. Azor złożył swoje potężne cielsko na boku i udaje, że głupi ptak go zupełnie nie obchodzi. Sójka przekrzywia głowę i zaczyna miauczeć jak kot.

— Ale te zwierzęta śmieszne — mówię do Renki.

— Jakie zwierzęta? — Renka podnosi oczy znad kieliszka, już wypiła to swoje martini, które ja sączę w poczuciu wielkiego szczęścia.

— No, twój pies i sójka.

— Aaaa — lekceważąco mówi Renka. — Niechby ją raz złapał.

Ciekawam bardzo, ile razy może taki zabójca złapać tę samą sójkę.

— No coś ty — oburzam się. — Mój Borys to wie, że na ptaki nie można polować. Azora też powinnaś tego nauczyć.

— Pies na ptaki, pies na kobiety — mówi bez sensu Renka i podnosi się z leżaka. Idzie w stronę domu zwiewna i szczupła. Za chwilę przynosi butelkę martini i lód.

— No nie, ja to zaraz muszę do roboty — uśmiecham się.

— To nie. — Renka patrzy na mnie z naganą. A przynajmniej tak mi się wydaje. — Uważaj, siedzisz z nosem w tym komputerze, a życie mija. Zobacz, jak wyglądasz. W ogóle o siebie nie dbasz. Wszystkie kobiety myślą, że będą wiecznie młode.

Nie wiem, o co jej chodzi. Wyglądam, jak wyglądam. Owszem, może sporo pozostaje do życzenia, ale ostatecznie Ella Fitzgerald też nie była jakąś pięknością. Z tym że śpiewała lepiej ode mnie. Ale za to była starsza.

– A co konkretnie masz na myśli?

– Wiesz, jak się ma nowego faceta... Z facetami różnie bywa. Zadbaj o siebie.

Słyszałam już to zdanie.

– To zabawne, Tosia mówi to samo.

– Wy jesteście nienormalne – mówi z irytacją Renka. – Właśnie dlatego, że z każdego tematu przejdziecie na dzieci. A wiesz, co ci powiem... – Renka nachyla się nad butelką martini i dolewa sobie złocistego płynu – ...życie nie opiera się na dzieciach. Ani na mężczyźnie. Na mężczyznach nie można polegać. Adam podobno był w Nałęczowie, a ty zostałaś sama? Zawsze trzeba uważać – zawiesza głos, a mnie drobny dreszcz przebiega po plecach.

Nie bardzo wiem, co znaczy taka rozmowa. Dlaczego ona do mnie pije? Czyżby chciała mi powiedzieć, że jeśli ja żyję z Adaśkiem bez ślubu, to jestem gorsza od niej? Bardzo dobrze wiem, że małżeństwo, niestety, nie zapewnia niczego stałego. Większy tylko kłopot – bo trzeba się rozwieść, zamiast normalnie rozstać. Ale myślałam, że Renka jest mi życzliwa. Wolę już wrócić do listów. Mam sporo roboty. I wcale znowu tak się nie boję o Adama.

„Jeśli zaczynasz się bać o swojego partnera..."

– Muszę już iść. – Podnoszę się z rattanowego fotela i wylewnie dziękuję jej za martini.

– Radzę ci dobrze, zadbaj o siebie, póki czas... – Renka podaje mi róże.

Złośliwa baba. Mimo że młodsza ode mnie. No cóż, ja przynajmniej mam lepszy charakter. Na mój widok Azor podnosi się i staje na sztywnych łapach. I to jest prawda, co mówią. Jaki pies, taki właściciel. Mój Borys to przynajmniej przyjazne stworzenie, choć czasem udaje głupiego. I lubi sójki.

Wracam do domu pełna jakiegoś nieokreślonego niepokoju. Od zachodu nad horyzontem pojawia się ciemny pas chmur. Ledwo człowiek chce zacząć cieszyć się latem, to mu się pogoda psuje. Co Renka miała na myśli, mówiąc mi, żebym o siebie zadbała? I dlaczego mówi, że na mężczyznach nie można polegać? I co ma do tego Adaśko, który pojechał z dziećmi do Nałęczowa? Głupia baba.

Wcale nie wracam do domu, tylko wstępuję do Uli. Właśnie wróciła z pracy i stoi nad pierogami. Jej Dasza, pogodny i przyjazny bokser, skacze na mnie z nieumiarkowaną radością.

– Dasza, na miejsce.

Nie wiem, jak ta Ula to robi. Mówi do psa cicho i spokojnie, a on przestaje się na mnie rzucać, powoli odchodzi na tarasik i zaczyna wodzić oczami za motylem. Ja drę się na Borysa, a on i tak robi, co chce. Niepotrzebnie kazała Daszy leżeć, bo jestem zadowolona, że przynajmniej pies cieszy się na mój widok.

– Czemu nie pracujesz? – Ula spokojnie gniecie ciasto na pierogi, a ja mam od razu wyrzuty sumienia, że nie umiem robić pierogów.

– Byłam u Renki.

– O, co u niej?

I co mam Uli powiedzieć? Że Renka zmówiła się z moją Tosią, żeby zasiać niepokój w mojej duszy, i że nie wystarczą przyrządy do golenia w domu, żeby związek był szczęśliwy? I że ja się mogę w każdej chwili znudzić Adamowi? I wobec tego pilnie powinnam coś zrobić ze sobą, tylko nie wiem, jakie możliwości zrobienia czegokolwiek ze sobą ma kobieta w moim wieku? Która nadto powinna bardzo uważać, żeby się nie uzależnić od mężczyzny, nie być na każde jego zawołanie, udawać, że ma inne życie, nie czekać z obiadem, kolacją, nie patrzyć miłośnie w oczy i nie siedzieć cały czas w domu, tylko wychodzić, mieć własne życie towarzyskie i tak dalej? Jedno wiem na pewno, nie powinna również pochopnie podejmować finansowych decyzji.

Widzę, że niczego tym razem nie dowiem się od Uli. Idę do siebie, włączam komputer i odpisuję na ostatni list. Prawdę powiedziawszy, ta pani ma rację. Gdyby ludzie kierowali się w swoim życiu wyłącznie miłością, wiarą i nadzieją oraz zachowywali umiar i spokój ducha, świat byłby lepszy. Zaczyna siąpić drobny deszcz. Obija się o mój blaszany dach, Tosia zmoknie, wracając ze szkoły, Adam wziął samochód. I pomyśleć, że jeszcze przed godziną była piękna czerwcowa pogoda. Na nic nie można liczyć na tym bożym świecie. Dlaczego Renka mówiła tyle o Adamie? Czyżby się jej podobał? Artur, mąż Renki, pracuje całymi dniami. Renka wydaje się znudzona. I dlaczego Azor lubi Adama? Nie zauważyłam tego. Może Adam bywa w tym domu beze mnie? Stop. Teraz praca.

Droga Pani,
absolutnie się z Panią zgadzam. Bardzo wielu ludzi uważa, że powinno się zachować miarę we wszystkim, co dotyczy uciech świata. Również jestem zdania, że gdyby nie posługiwanie się seksem jako sprzedajnym towarem na łamach różnych pism – rzadziej dochodziłoby do zdrad. Spokój wewnętrzny nie jest tak chodliwym towarem jak zmuszanie ludzi do pogoni za tym, co jest za zakrętem. Obawiam się jednak, że reklamodawcy szybko zrezygnowaliby z finansowania wszelkich czasopism, gdyby ludzie, zamiast kupować i mieć, zaczęli myśleć i być. Niestety przecenia Pani mój wpływ na wizerunek czasopism. Pokażę list Pani redaktorowi naczelnemu, być może on wyciągnie z tego wnioski... Pozdrawiam serdecznie w imieniu redakcji...

Czy nieszkodliwe nasze pismo ma zmienić profil? Już siebie widzę, jak stoję przed Naczelnym i mu tłumaczę, że na okładce ma wystąpić jakaś starsza, mężata pani, ubrana od stóp do głów w czador, żeby nie prowokować mężczyzn.

Wstaję od komputera. Obieram kilogram ziemniaków i sześć marchewek, do których starcia namówię Tosię, kiedy wróci ze szkoły. A w ogóle powinnam sobie zrobić przerwę, bo od patrzenia w ekran komputera robi mi się słabo.

*

Tosia przybiega ze szkoły radosna jak skowronek. I sucha. Wyglądam przez okno i widzę małego fiata, który z gwizdem zawraca i odjeżdża.

– Kto cię przywiózł? – pytam niedbale.

– Jakub – mówi Tosia i próbuje zniknąć w swoim pokoju.

– Specjalnie przyjechał z Warszawy, żeby cię odwieźć do domu?

Co ja na to poradzę, że to pytanie wysmyknęło mi się niechcący w tonacji nieco jadowicie niedowierzającej?

– A tak – Tosia się marszczy i rusza do siebie na górę. Widzę tylko skrawek jej białej sukienki.

– Tosia! – krzyczę w kierunku schodów. – Zejdź w tej chwili!

Tosia pojawia się w drzwiach. Nastroszone spojrzenie nie wróży nic dobrego.

– Co?

– Nie mówi się co, tylko proszę. Czy byłaś dzisiaj w szkole?

– Ojej, mamo! – Tosia ma pretensję o to niewinne pytanie.

– Czy chcesz, żebym uwierzyła, że Jakub specjalnie jechał po ciebie dwadzieścia kilometrów, żeby być z tobą te dziesięć minut w samochodzie?

– Byliśmy na pizzy. Po szkole. I owszem, specjalnie po to przyjechał.

– Chyba żartujesz.

– O co ci chodzi? Zazdrościsz mi?

Oj, co za dużo, to niezdrowo.

– Idź do siebie – mówię dość chłodno.

– Od razu chciałam to zrobić. – Tosia odwraca się na pięcie i tyle ją widzę. No, jeśli ten chłopiec tak na nią wpływa, to nic dobrego z tego nie będzie. Już ja z tym zrobię porządek.

Ścieram sześć marchewek samotnie. Jeśli była na pizzy, to i tak nie będzie jadła. Czy każda kobieta mająca dziecko, dziewczynę, ma takie problemy? Nie. Bo Ula na przykład nie ma.

Z góry dochodzi rytm disco polo. Cienki dyszkancik zawodzi:

Nie odtrącaj mnie tylko dlatego...

Nie, nie wytrzymam. Tosia nigdy w życiu nie słuchała disco polo. Nie mam zdrowia tego słuchać. W moim własnym domu nie mam spokoju. Wychodzę do ogrodu. Ula akurat piele coś przy płocie. O, spojrzała w okno Tosi. Nie wydaje się przejęta, że Tosia słucha disco. Uśmiecha się do mnie z lekkim pobłażaniem.

– To zespół Kury, a nie żadne disco. Oni robią pastisze wszystkiego, naprawdę nie słyszałaś tego nigdy? – I tu Ula zaskakuje mnie po raz tysiąc dwieście pięćdziesiąty ósmy lub coś koło tego, bo kiwa na mnie, wchodzi do swojego domu, podchodzi do sprzętu grającego i wkłada w kieszeń płytę.

I pomyśleć, że chciałam mieć odrobinę spokoju! Za chwilę z głośników, w znakomitym rytmie, dokładnie takim samym jak wszystkie tego typu piosenki, dochodzi radosne wyznanie:

Nie odtrącaj mnie tylko dlatego..., że śmierdzi, ach,
śmierdzi mi z ust,
Nie emabluj mojego kolegi, choć dramatycznie capi
mi z ust,
Nie dyskredytuj mojej miłości, choć faktycznie
cuchnie mi z ust,
Bo może zaznasz ze mną błogości i wtedy
zaakceptujesz ten wstrętny smród.

– Mają jeszcze świetny tekst o jajach, że jaja to zdwojone ja – mówi Ula i podśpiewuje pod nosem w rytmie cztery czwarte, zadowolona jak jaskółka.

– Skąd ty to wiesz? – nie mogę wyjść z podziwu.

– No wiesz – mówi Ula – dziećmi się trzeba interesować.

Muszę się z nim rozstać

— Masz chwilkę? — Zadzwonił telefon i usłyszałam znajomy głos Agi, która odzywa się do mnie raz na jakiś czas, ale głównie wtedy, kiedy ma kłopot, smutek ją przytłacza i żyć jej się nie chce. Czasu nie miałam specjalnie, bo właśnie nałożyłam odżywkę na głowę, Renka mi podpowiedziała, że są takie super z witaminami, co naprawiają ubytki we włosach i w ogóle włosy są po nich dłuższe, jest ich więcej i błyszczą, odkurzacz stał na środku pokoju, a ja w stresie biegałam po mieszkaniu ze ścierką w ręce i próbowałam doprowadzić dom i siebie do porządku przed kolejną sobotą. Na dodatek czekało mnie zakończenie roku szkolnego i Tosia nareszcie miała nam przedstawić Jakuba, więc mój stres był widoczny gołym okiem. Gdyby ktoś na mnie patrzył, bo Adaśko był w pracy...

— Wiesz, dzwonię do ciebie, bo tylko ty możesz mi coś poradzić...

Wzięta pod włos odłożyłam ścierkę i usiadłam wygodnie w fotelu. Z włosów kapało. Odżywka lekko spływała mi za ucho.

– Tak, oczywiście – powiedziałam usprawiedliwiona, bo kiedy trzeba zbawiać świat, to bardzo proszę, sprzątanie może poczekać. I Adaśko podziela ten pogląd.

– Muszę się z nim rozstać. Co ja mam robić? – zajęczała w słuchawkę telefonu moja od lat serdeczna koleżanka.

– Co musisz zrobić?

– Rozstać się z nim.

– Jezu, dlaczego? – rozsiadłam się wygodnie, bo zapowiadało się to na dłużej.

– Bo ja już sama nie wiem, co mam robić – dyszało smutkiem w słuchawce. – On mnie w ogóle nie rozumie.

– Ale w jakiejś konkretnej sprawie on cię w ogóle nie rozumie? – zainteresowałam się przez sympatię.

– On nie rozumie mnie w ogóle, ale to w ogóle, w żadnej sprawie! – z pretensją wyjaśniła Aga.

– Możesz coś bliżej? – pytałam cierpliwie, bo wiadomo, jak kobieta pogada, to jej lżej.

Adaśko jest tego samego zdania i zawsze czeka cierpliwie, aż przestanę gadać przez telefon. No, prawie zawsze.

– Co mogę ci powiedzieć... – słuchawka zaszlochała żalem. – Po prostu już jesteśmy sobie obcy.

– Dlaczego tak ci się wydaje? – nadałam swojemu głosowi ton uprzejmy i współczujący.

– Mnie się wcale nie wydaje! Po prostu tak jest! – krzyknęła mi prosto w ucho.

– Właśnie pytam, dlaczego? – byłam niezmordowana i pełna chęci niesienia pomocy w tej trudnej sytuacji, choć z włosów dalej mi kapało.

– No właśnie... dlaczego... sama się nad tym zastanawiam... – jęknęła w telefon.

– Ale czy coś się stało? – próbowałam dociec, o co chodzi.

– Czy coś się musiało stać? – jej głos uderzył we mnie jak wyrzut. – Po prostu on mnie nie rozumie!

– Ale ja nie rozumiem, o czym mówisz – zdenerwowałam się trochę niegrzecznie, czego Adaśko by nie pochwalił.

– No właśnie. Nikt mnie nie rozumie. Nawet ty. Nikt! – wysyczało mi do ucha.

– Staram się zrozumieć – nie dawałam za wygraną, diabli wiedzą po co. – Czy on ci coś zrobił?

– Oczywiście! Czy inaczej bym dzwoniła do ciebie?

– Ale co? – krzyknęłam desperacko. – Co on ci zrobił?

Usłyszałam żałosne:

– Bo on mnie wcale nie rozumie...

Wiedziałam, że powinnam mieć cierpliwość i zrozumieć to, co mówi Aga. Ale w jakiejś części mózgu telepało się przekonanie, że cokolwiek powiem, może być skierowane przeciwko mnie. Na gwałt próbowałam sobie przypomnieć początek naszej rozmowy. Od czego zaczęła? Trzeba powtórzyć to, co mówiła – wtedy będzie wiedziała, że jestem wdzięcznym słuchaczem. O czym mówiła? O rozstaniu, już wiem, powiedziała: ,,muszę się z nim rozstać".

– To może się z nim rozstań, skoro ci tak źle – powiedziałam nieśmiało, nawiązując do początku naszej rozmowy.

– No wiesz! – w głosie Agi usłyszałam wyrzut. – Jak możesz! Przecież ja go kocham.

I nawet mnie nie zapytała, co słychać, choć i ja mam problemy, też mi się czasem wydaje, że on mnie nie rozumie, skończyła niespodziewanie rozmowę, a ja z tą kapiącą odżywką, która zrobiła brzydką plamę na fotelu, powlokłam się do łazienki. Nie upieram się, żeby każdy każdego rozumiał. Ja rozumiem, że ludzie mają różne nastroje i czasami w ogóle nie wiadomo, o co im chodzi. Widać odżywka na głowie podziałała również na mój mózg, bo nagle mnie olśniło. Nie chcę zwariować. Chętnie służę pomocą w sprawie przypalonego gara lub jeśli ktoś kogoś rzuca. Lub, nie daj Boże, czymś rzuca. Bardzo proszę. W końcu za to mi płacą, mam wprawę. Ale Aga nie po to przecież dzwoniła, żebym takie głupoty wygadywała. Zmyłam odżywkę i uznałam, że kiepski ze mnie przyjaciel. Wysuszyłam włosy i wykręciłam jej numer.

– Aga? – zapytałam pojednawczo.
– Tak.

– Dzwonię, bo jakoś tak rozmawiałyśmy...

– Myślałam, że mi coś poradzisz... co mam robić....

– Słuchaj – powiedziałam i wzięłam głęboki oddech. Muszę tylko pamiętać, żeby się nie zakłamywać, nie oszukiwać, być sobą. – Chętnie cię wysłucham, ale nie wiem, co masz robić, nie jestem tobą. Trudno mi coś radzić.

No, Adaśko byłby ze mnie dumny. Zwłaszcza że pewnie by przewidział koniec rozmowy. W słuchawce po drugiej stronie zapadła cisza.

– Aga?

Naprawdę mój ton głosu sprzyja zwierzeniom. Wiem, że nie chce ode mnie żadnych rad i że postąpiłam słusznie. Trzeba było tak od razu.

– Nie myślałam, że jesteś taka nieżyczliwa, niekoleżeńska i że w ogóle nie można z tobą rozmawiać. Cześć. – I odłożyła słuchawkę.

Prawie usłyszałam westchnienie ulgi Adaśka, który był przecież w pracy.

Trójka z chemii

Dzisiaj koniec roku szkolnego. Ula wpadła do mnie po cukier, bo jej wyszedł. Ja stoję nad garami – przyjeżdża Mój Ojciec i Moja Matka, razem, choć są osobno. Adam znowu pojechał, tym razem do Krakowa, wróci w niedzielę. Więc będziemy świętować przejście Tosi z klasy trzeciej do czwartej sami. Dlaczego on tak często wyjeżdża?

– Tylko się uciesz – mówi Ula, jakbym nie wiedziała.

– Z czego tu się cieszyć – mówię smętnie. – Z francuskiego trója, z matmy trója, z chemii trója.

– Daj spokój – mówi Ula. – Coś do cieszenia się musisz znaleźć, bo inaczej w ogóle ją zniechęcisz.

I idzie do siebie.

Tosia z dumą przynosi świadectwo. Rzuciłam okiem i starałam się ucieszyć, że w ogóle ma je w ręku. Mogło być gorzej. Potem przyjeżdżają moi rodzice. Mama wypakowuje ruskie pierogi ku głośnej uciesze

Tosi. Ojciec żąda natychmiast świadectwa i odczytując je głośno w ogrodzie, próbuje powiedzieć Tosi, co by z czego miał, gdyby był na jej miejscu.

– Twoja matka też miała trójkę z chemii – dodaje z pewną nostalgią, choć jesteśmy w ojczyźnie.

Nie musiał tego mówić. Tosia wpada do kuchni, gdzie stoimy z mamą nad skwierczącą patelnią.

– Ty też miałaś trójkę z chemii! – rzuca oskarżycielsko w moją stronę. – Tylko wtedy nie było jedynek! Byłaś jeszcze gorsza niż ja.

Ach, gdyby wiedziała, ile ja zdrowia poświęciłam, żeby choć tę trójkę z chemii mieć, to nie rzucałaby pochopnie oskarżeń.

Mama przewraca pierogi na patelni drewnianą łyżką.

– Pamiętam, ile ty włożyłaś pracy, żeby mieć tę trójkę – mówi. – Gdybyś pracowała cały rok, to nie musiałabyś zaliczać w ostatnim tygodniu szkoły. Prawdę powiedziawszy, to wtedy należała ci się poprawka.

Tosia nakrywa do stołu i woła dziadka. Mój Ojciec nie usiądzie oczywiście do stołu wtedy, kiedy go proszą, tylko wtedy, kiedy usiądzie. Tak było zawsze. Chwilowo stara się przekonać Zaraza, żeby do niego podszedł. Zaraz leży na stole w ogrodzie i ani myśli się ruszyć. Wreszcie siadamy wszyscy do obiadu.

– Zawsze lubiłem twoje pierogi – mówi Mój Ojciec do Mojej Mamy.

To na cholerę się rozwiodłeś, myślę sobie, aczkolwiek dobrze wiem, że to nie moja sprawa.

– To mogłeś się nie rozwodzić – mówi Tosia i podstawia talerz. Moja Mama milcząco nakłada pierogi.

– Pamiętam, jak twoja matka przyniosła świadectwo, tak, tak – mówi Mój Ojciec do Tosi. – Cudem jej się udało zaliczyć chemię. Gdybym wtedy był na jej miejscu...

A potem to już siedzimy i umieramy z przejedzenia. W każdym razie ja. I co słyszę?

– Córeczko, nie powinnaś była jeść tylu pierogów. Utyjesz.

Czy wszyscy się na mnie uwzięli? Czy ja mam umrzeć z głodu, gdy nad stołem unosi się wysublimowany zapach ruskich pierogów?

Tosia jest nieco spięta, bo ma przyjechać Jakub. Jakub zabiera Tosię do kina, i zażyczyłam sobie, żeby w końcu po prostu się przedstawił. Ten od Joli nie może czuwać nad moją córką, ale ja nie pozwolę jakiemuś obcemu facetowi jej skrzywdzić. A poza tym muszę wiedzieć, z kim ona się zadaje. W dodatku Tosia już nie chce jechać na obóz wędrowny, tylko ma inne plany, o których porozmawiamy, jak Adam wróci. Wiem, dlaczego. Bo myśli, że jej łatwiej z nim pójdzie, potem on mnie przekona i tak dalej. Jutro rano jedzie z córkami Uli i Krzysiem do Nowej Wrony na sobotę, wracają w niedzielę rano, tak jak Adam z Krakowa. No, zobaczymy.

Kiedy pojawia się Jakub, dobrze rozumiem swoją córkę. Jakub ma dziewiętnaście lat, jest świeżo upieczonym maturzystą, blondynem i ma piwne oczy na pół twarzy. Jest w dodatku lekko niedogolony. Niestety, taki przystojny mężczyzna fatalnie wróży. Tosia jak aniołek.

– To moja mama Judyta.

Jakub wyciąga do mnie dłoń, bardzo mocno ściska i uśmiecha się.

– Jakub. Była kiedyś taka wódka Judyta, Rebeka i Dawid.

Zatyka mnie. Ale tylko na chwilę.

– Nie wiedziałam, że jestem z trojaków.

Tosia rzuca mi mordercze spojrzenie:

– Nie z trojaków, tylko z czworaków chyba.

Jakub patrzy na Tosię z lekką przyganą, ale widać, że lubi on ją, ach, lubi, a mnie serce martwieje.

– Jeśli, Tosiu, moje drogie dziecko, jest prawdą, jakoby dzieci dziedziczyły choć w minimalnym procencie przymioty urody i charakteru po matkach, to twoja mama raczej wychowała się w pałacu niż w czworakach.

A więc nie tylko przystojny, ale również spostrzegawczy.

– Odwiozę Tosię przed jedenastą – mówi Jakub – cieszę się, że panią poznałem.

Tosia znika razem z nim w drzwiach, więc biegnę za nimi jak idiotka i tylko rzucam nerwowo:

– Bardzo proszę, niech pan jedzie ostrożnie!

– Mamo – mówi moja córka z taką prośbą w głosie, że się wycofuję.

O Boże, jeśli ja do chłopaka Tosi muszę mówić pan, to znaczy, że życie za mną. Wieczorem dzwoni Adam i pyta, jak Tosia. Niech lepiej zapyta, jak ja!

*

Tosia pobiegła skoro świt do Uli, bo mają jechać do tej Wrony z Krzysiem. Powstrzymywałam się, żeby też nie pobiec i nie poprosić Krzysia, żeby jechał ostrożnie. Ale odetchnęłam z ulgą, kiedy usłyszałam, jak Ula woła do nich zza płotu:

– Tylko jedź ostrożnie!

Wtedy postanowiłam się ucieszyć, że zostaję sama, choć jak na kobietę, która nie jest samotna, za dużo weekendów spędzam z Ulą. Ale skoro przyszło spodziewane lato, nie można narzekać. Ptaszki kwilą, roślinki roślinkują wszerz i wzdłuż, drzewka machają łapkami i w ogóle jest pięknie. Widzę, że i Ula za płotem jest tego zdania, bo chodzi sobie i patrzy, co by tu zrobić. Ja też mam dużo do zrobienia i nie wiem, od czego zacząć. Zostałyśmy z Ulą na wsi same, to trzeba coś wymyślić pożytecznego. Oczywiście, że wolałabym zostać sama z Adaśkiem, ale wtedy przyznałabym się do tego, że jestem całkowicie i bezwzględnie uzależniona od mężczyzny, a to nieprawda.

Myśli mi się najlepiej na hamaku. To znaczy, myślałoby mi się, gdybym nie zasnęła. Obudziłam się o dziesiątej i zdenerwowałam się, że tak marnuję czas. A potem zrobiło mi się słabo na myśl, że przyjedzie Adam i mamy we dwoje ustalać plany na wakacje. W przeszłości robiło mi się też słabo, ale z Tym od Joli w ogóle trudno się było dogadać. A tu miałam się cieszyć, i co? Ostapko w dalszym ciągu milczy. Jej telefon milczy również. Nie mam na to wpływu. Więc nasmarowałam ciało filtrami UV, Renka mówi, że nie wolno bez filtra nawet na moment wyjść na słońce, i postanowiłam nie zajmować się tym, co mam zrobić, tylko zastanowić się, od czego zacząć. Zastanawiać się mogę przecież na słoneczku.

I wtedy przyszła Ula.

– Cześć – mówi – mogę na chwilkę?

O, widzę, niedobrze jest. Przecież Ula wpada do mnie i nie pyta. Ja do niej wpadam i nie pytam. Czasami stoimy przy płocie, bo żadna z nas nie ma czasu, żeby wpaść, i gadamy z półtorej godziny przez siatkę. Ale żeby pytać? Ani chybi ma jakiś problem.

– Możesz – mówię i wyciągam drugi leżak.

Robię herbatę, na upał najlepsza herbata, i siadamy w ogródku.

– Ładnie na świecie – zagajam przyjaźnie, bo Ula milczy.

– No właśnie, ja w tej sprawie.

– Że ładnie na świecie? – pytam i nie rozumiem.

– No właśnie. Ładnie, ładnie, a zobacz, jak my wyglądamy.

Patrzę na Ulę, śliczna jak zwykle, siebie szczęśliwie nie muszę oglądać, ale to znaczy, że i ona do mnie pije. Patrzę spod oka na siebie – nic nowego.

– Ale o co chodzi dokładniej?

– Chodzi o to, że my mamy niezmierzone możliwości zadbania o świat i siebie i nic z tym nie robimy. Renka robi – mówi Ula. – Może byśmy coś zrobiły?

– Możemy zrobić – zgadzam się, bo jestem w wypracowanym pogodnym nastroju.

– Bo zobacz – tu Ula wyciągnęła jakieś luksusowe opakowanko – zobacz, co dostałam.

Patrzę i widzę, że to absolutnie cudowna maseczka do twarzy, która po prostu – tak wynika z ulotki – zrobi z nas szesnastki.

– O rany – zachwycam się.

– No właśnie – szepce Ula. – Co ja mam z tym zrobić?

No jak to co? Jest wyraźnie napisane, co robić, i sama bym się cieszyła, jakbym takie cudo dostała. Szczególnie, że lato przed nami, i w ogóle.

– Najwyższy czas, żeby coś dla siebie zrobić – mówię zupełnie poważnie.

– Ale rodzina wyjechała, a ja mam tyle roboty! – Ula patrzy w niebo i też nie jest szczęśliwa.

I wtedy nam wpadł do głowy ten cudowny pomysł. Wszystko idzie lepiej, jeśli się działa razem (nawet seks!). Ustaliłyśmy w mig, że dosyć tego marnowania życia, jest przecież pięknie na świecie, możemy wspólnie zrobić porządki w ogrodzie, Ula da mi trochę roślinek, a ja jej marcinki, jeszcze to i owo można rozsadzić, i na pewno znajdziemy czas na maseczkę, którą Ula się chętnie ze mną podzieli. Że nie ma co tak smęcić i włóczyć się bez sensu wte i wewte – najpierw zrobimy szybciutko porządek u Uli, potem u mnie, potem rozsadzimy roślinki, potem ugotujemy sobie coś zdrowego, potem weźmiemy prysznic, spotkamy się, nałożymy maseczkę i zrobimy sobie damski wieczór.

Rzuciłyśmy się do roboty. Najpierw wyjęłyśmy z ziemi roślinki do przesadzenia. Ula swoje, ja swoje, i odłożyłyśmy do wody. Na pewno się przyjmą, choć mogłyśmy pomyśleć o tym wcześniej. Teraz przystrzyżemy trawkę, zamieciemy tarasiki, przeniesiemy drewno na ognisko w jedno miejsce, wytniemy suche gałązki – przecież to żadna robota. Ach, jaka to przyjemność, wspólnie coś postanowić i wspólnie robić! Przed nami wieczór z maseczką, spokojny, miły, nikt nam nie będzie przeszkadzał, położymy się spać wcześnie, jutro zjemy razem śniadanie o świcie, nie będziemy marnować ani minuty!

Już do dziesiątej wieczorem zrobiłyśmy prawie połowę tego, co zamierzałyśmy. W ogrodzie. Domy nieruszone. Ale przecież mamy rano wstać, więc teraz szybciutko ogarniemy wnętrza i spotykamy się za pół godziny na maseczkę. Za pół godziny jestem przy odkurzaniu dużego pokoju, ale Ula krzyczy przy płocie, że spotkamy się za godzinę, bo ona nie zdąży.

Wtedy Borys zaczyna szczekać, bo Dasza przemknęła między nogami Uli i radośnie skacze przy płocie. Ja łapię Borysa, Ula Daszę i rozstajemy się na następną godzinę. Ostatecznie jest sobota i obiecałyśmy sobie miły wieczór, więc co to za problem. O jedenastej trzydzieści przychodzi Ula, wykąpana, z maseczką i blachą tarty. Ja biegnę pod prysznic. W ciągu następnego kwadransa Ula podgrzewa swoją pyszną tartę, a ja próbuję doszorować się po porządkach. Noc słodka za oknami, okna szeroko otwarte, nareszcie spokój, cisza, a my możemy zająć się sobą. Kiedy zjadłyśmy pyszniutką tartę, przyszedł ten moment, na który czekałyśmy cały dzień. Otwarcia genialnej ma-seczki, która uczyni z nas kobiety młode, piękne, szczupłe i tak dalej. Kiedy Ula zanurzyła dłoń w ma-seczce z zamiarem rozprowadzenia jej na twarzy, przypomniałyśmy sobie o wykopanych roślinkach, które do jutra na pewno zmarnieją i które natychmiast trzeba wsadzić do ziemi.

– Stop! – krzyknęłam. – Rozsada!

Ula w mig zrozumiała, co miałam na myśli. Po-biegła do garażu szukać latarki oraz przebrać się. Ja nie musiałam szukać latarki, bo wiem, że jej nie mam, ale wkładam robocze spodnie i biegnę do Uli. Borys ra-zem ze mną, bo furtkę zostawiłam otwartą. Dasza na jego widok zachowuje się dość nieprzyzwoicie i za moment nasze oba psy biegają radośnie to po Uli roś-linkach, to po moich. Noc ciemna, latarkę Ula zna-lazła, ale malutką, nic przy jej świetle nie widać. Idę po świecznik, na cztery świece, wiatru nie ma, a roś-linki trzeba posadzić, najwyższy czas. Przychodzę ze świecznikiem, psy radują się sobą. Przysiadamy na tarasie Uli, bo Ula jeszcze nie wie, gdzie chce roślinki posadzić. Ale możemy się również zastanawiać z kieliszkami w ręku, bo to nie jest decyzja, którą podejmuje się *ad hoc*. Wracam do domu po resztkę wina z niedzieli, bo co tak będziemy się zastanawiać bez wina.

Noc gwiaździsta nad nami.

– Może tam? – Ula wykazuje filozoficzny spokój.

– Może tuż przy berberysach? Będą ładnie kontras-tować.

– Berberysy urosną – mówię z pewnym znawstwem. – I wtedy ci wyjdzie na ścieżkę.

– Masz rację – Ula jest zgodna. – To może pod dębem?

– Tam jest cień.

– Masz rację – mówi Ula. – To nie wiem gdzie.

Bierzemy świecznik i krążymy po ogrodzie. Przez siatkę przełazi Zaraz i wchodzi do kuchni Uli. Dasza głupieje, bo najpewniej myśli, że to Ojej, tylko cokolwiek innej rasy.

Kiedy już wiemy, gdzie wsadzimy roślinki, okazuje się, że nie wiemy, gdzie zostawiłyśmy łopaty. Szukamy łopat. Znajdujemy motykę i sadzimy roślinki, kopiąc motyką dziury. Potem podlewamy, żeby nam nie zmarniały. Jesteśmy brudne i zadowolone z siebie. Na wschodzie szarzeje. Jesteśmy nie tylko brudne, ale również głodne. Postanawiamy coś przekąsić, zanim udamy się na zasłużony odpoczynek.

Ach, jaka to frajda zjeść śniadanie o świcie! Kiedy świat się zaczyna i ptaki się budzą, i rosa skrzy się w pierwszych promieniach słońca! Siedziałyśmy z Ulą do siódmej, zachwycając się naturą. Potem poszłyśmy spać.

A potem przyjechał mężczyzna mojego życia i spytał, dlaczego marnuję życie w łóżku, skoro jest tak pięknie! I zupełnie nie rozumiem, dlaczego z takimi poglądami też się znalazł w łóżku, i to moim.

Kochana jesteś!

Potem przyjechał Krzyś z dziewczynkami i powiedział Uli, która w koszuli nocnej otwierała im bramę, a była dwunasta, że szkoda, że ona sobie marnuje życie, bo przecież jest tak pięknie. Ja i Adam, trochę niewyspani, ale już odświeżeni, słuchaliśmy tego zza płotu. Trochę mi to poprawiło humor, ale niestety nie na długo. Tosia wygramoliła się z samochodu z wiadrem wczesnych wiśni, a potem zawołała Adama na górę i długo z nim konferowała. Nie wiem, dlaczego oni coś ukrywają przede mną. I co to w ogóle znaczy, żeby przyjaciel matki (nazwijmy rzecz po imieniu, nawet nie jest moim mężem) rozmawiał godzinami z siedemnastoletnią córką tej swojej przyjaciółki. To niezdrowe.

Zeszli na dół po jakichś piętnastu minutach.

– Sama z nią porozmawiaj. – Usłyszałam zupełnie niechcący głos Adaśka ze schodów.

– Ale wstawisz się za mną?

Żeby choć raz Tosia miała taki proszący ton głosu w rozmowie ze mną! Odskoczyłam od schodów i dalej udawałam, że obieram jarzynki.

– Mamo, chcę z tobą porozmawiać – Tosia stanęła w drzwiach i minę miała wyniosłą.

– Wynieś śmieci – powiedziałam.

Tosia westchnęła o wiele za ciężko, jak na lekki czarny worek śmieci, i wyszła go wyrzucić. Adam spojrzał na mnie i podniósł brwi.

– Mogłaś ją potem o to poprosić – powiedział rozsądnie i ciepło, tak że się pewnie zarumieniłam. Z trudem przyzwyczajam się, że chłop też może mieć czasami rację.

– A ty się w ogóle nie wtrącaj – powiedziałam na wszelki wypadek.

I proszę. To zawsze ja jestem ta zła dla Tosi, a Adaś jest ten kochany. Obcy mężczyzna, który nie ma żadnych obowiązków wobec mojej córki, który sobie może na niej ćwiczyć różne socjologiczno-pedago-giczne wygibasy, a sam zostawił swoją biedną byłą żonę ze swoim synem, żeby się z nim męczyła. Taka jest prawda, no cóż.

Trzasnęła pokrywa od śmietnika. Adam wzruszył ramionami, a minę miał zupełnie inną niż rano, kiedy wchodził do mojego łóżka.

– A czy ja się wtrącam?

Tosia stanęła w drzwiach kuchni. To brzmi jak sen pijanego paranoika. „Tosia stanęła w drzwiach kuch-ni, Tosia stanęła...”

– Mamo?

– Włóż nowy worek do kubła – powiedziałam i zdałam sobie sprawę, że zachowuję się jak idiotka. Jeśli się od razu nie włoży worka do kubła, to tam za chwilę wrzucę obierki od ziemniaków i to ja potem będę miała kłopot. Ale czułam, że robię coś głupiego. Odłożyłam ziemniaki i wytarłam ręce.

– No to chodźmy.

Tosia przewróciła oczami, tylko zabłysnęły białka, i zrobiła minę pod tytułem „O Boże, znowu". Usiedliśmy wszyscy w dużym pokoju, który wcale nie jest duży. Tosia z Adamem na kanapie, ja na fotelu. Też znaczące.

– Słucham.

– Nie chcę jechać na obóz wędrowny – powiedziała Tosia.

Dzięki ci, Panie! Już widziałam tysiąc pięćset złotych odpływające w pogodne Tatry.

– Chcę jechać do Kołobrzegu. – Tosia popatrywała to na Adama, to na mnie. Zatrzymane poprzednim zdaniem tysiąc pięćset ruszyło znowu w siną dal, tym razem w stronę błękitnego morza. Adam się nie odzywał.

– Z kim?

– Z całą paczką – powiedziała Tosia i rzeczywiście wkładała duży wysiłek w to, żeby nie pokazać po sobie irytacji.

– To znaczy z kim? – byłam niewzruszona.

– No z Jakubem i Karoliną, i jej chłopakiem...

A więc tak właśnie statystyczna kobieta dowiaduje się, że jej córka dorasta. Ale przecież Tosia nie jest dorosła! Skończyła pół roku temu siedemnaście lat i naprawdę jeszcze za wcześnie na wyjazdy z dziewiętnastolatkami! I co ona będzie tam robić?

Przed oczyma przepływały mi setki listów do redakcji:

Droga Redakcjo, chciałabym się zabezpieczyć przed niepożądaną ciążą...

Droga Redakcjo, chciałabym podjąć współżycie seksualne, bardzo się kochamy...

Droga Redakcjo, co mam robić, okazało się, że jestem w ciąży...

Droga Redakcjo, nasza nieletnia córka spodziewa się dziecka...

– I co potem zrobisz? Wychowasz je sama? – łzy zabłysnęły mi w oczach.

– Karolinę? – Tosia i Adam patrzyli na mnie z niebotycznym zdumieniem.

– Ja wiem, jak się takie wyjazdy kończą – jęknęłam.

– Mamo, czyś ty zwariowała? Po prostu chcę wyjechać sama z przyjaciółmi na wakacje! Babcia Jakuba mieszka w Kołobrzegu! Mamy się gdzie zatrzymać, morze tuż obok, jod, zdrowie, i w ogóle nie jestem dzieckiem!

U babci Jakuba. No cóż, to trochę zmienia postać rzeczy. Pieluszki i przetarte zupki trochę się oddaliły. Ustało kwilenie niemowlęcia, którym nabrzmiały mi uszy.

– Babcia?

Musiałam głupio wyglądać, bo Tosia się uśmiechnęła.

– Babcia, babcia. Po prostu mamy tam metę. Nawet mama Karoliny się zgodziła.

Jeśli babcia... I mama Karoliny... Właściwie jeśli chcą grzeszyć, to mogą to robić wszędzie, nie muszą udawać się do odległego Kołobrzegu. Wiem to z własnego doświadczenia. A z drugiej strony, dlaczego ja mam decydować? I brać na siebie taką odpowiedzialność, żeby puszczać dziecko samo na wakacje? Przecież to dziecko ma ojca czy coś w tym rodzaju.

– Muszę się zastanowić – jęknęłam.

– Musisz mieć do mnie zaufanie – powiedziała Tosia. – Oto, co musisz. Ja już prawie jestem dorosła. Jeśli chcesz, babcia Jakuba do ciebie zadzwoni. – Tosia podniosła się z kanapy. – To załatwione?

– Nie wykluczam takiej możliwości – powiedziałam ostrożnie. – Raczej tak, ale chciałabym, żebyś najpierw...

– Kochana jesteś! – moja córka doskoczyła do mnie i pocałowała mnie w policzek, czego nie czyniła już od dość dawna. Widać było, że całkiem się zapomniała. – To cześć! Lecę do Karoliny, bo musimy wszystko obgadać...

I już jej nie było. Spojrzałam na Adama.

– Szykuje nam się urlop we dwoje – powiedział. – I co ty na to?

Co ja na to? Moja córka jedzie z jakimś mężczyzną na urlop, a ja mam myśleć o niebieskich migdałach?

I taki Niebieski nic poza tym nie powie? Nie uspokoi mnie? Nie pocieszy?

— Mam nadzieję, że nie będziesz się denerwować. Ona naprawdę dorasta. To może być dla ciebie wstrząs, ale musisz powoli się z tym oswajać. A poza tym ja też chcę z tobą pogadać. Może byśmy pojechali na Kretę? Radek z radia jedzie z żoną, mają tanią metę. Przecież odłożyliśmy trochę na nasze pierwsze wakacje.

Kreta! Z Adamem! Marzenie mojego życia rozsypało się w pył. Jak ja mu powiem, że sprzeniewierzyłam te dziesięć tysięcy na interes Ostapko, który odsuwa się w czasie?

— A może zostaniemy w domu? To też ma swoje dobre strony — powiedziałam cicho i starałam się w ogóle nie patrzeć mu w oczy. Byłam pełna współczucia. Oto mężczyzna po czterdziestce znalazł sobie dojrzałą przyjaciółkę. Która defrauduje jego pieniądze i jest od niego uzależniona.

— Pogadamy... Ale przecież tak lubisz Grecję.

Na szczęście nie musimy już rozmawiać. Adaśko obejmuje mnie, a ja nad życie uwielbiam być obejmowana. Szczególnie, jeśli dzieci nie ma w pobliżu. Kiedy dzwoni mama Karoliny, jestem ciągle w jego objęciach i nie mam zamiaru się z nich uwolnić.

— Pani się zgadza na wyjazd?

— Oczywiście... — mówię niepewnie.

— Ach, to dobrze, bo decyzję uzależniałam od pani zgody.

— Czy Tosia już dojechała do państwa?

– Dziewczynki są w łazience, farbują sobie włosy.

– Ach – mówię tylko.

Odkładam słuchawkę. Adaśko przytula mnie do siebie.

– Albo na Sardynię. Podobno tam jest cudownie i nie najdrożej. A przecież odłożyliśmy trochę forsy.

– Ona znów farbuje sobie włosy! – uwalniam się z objęć Adaśka. – I na pewno będzie łysa. Potem, potem porozmawiamy, teraz i tak nie dostanę urlopu.

O Boże, jak mu wytłumaczyć, że nie mamy na razie ani grosza?

*

Po południu dzwoni babcia Jakuba. Że będzie jej niezmiernie miło gościć moją córkę, że Jakub tyle opowiadał, że doprawdy młodzież, że przecież nic się nie stanie, że ona jest szczęśliwa, że pozna Tosię, że pokoje czekają, że teraz młodzież wspaniała. Głos uprzejmy, ton miły, będę musiała Tosię puścić.

Droga Redakcjo,
jestem już dorosła, ale moi rodzice w ogóle tego nie rozumieją. Od roku chodzę z jednym chłopakiem, ale muszę to przed nimi ukrywać. W zeszłe wakacje wyjechaliśmy razem, z tym że rodzicom powiedziałam, że jadę do ciotki mojej koleżanki.

– Tosia! – rozdzieram się na cały dom.

– Co?

– Zejdź w tej chwili na dół!!!

– Co się stało? – Adam wpada do pokoju przerażony. – Czemu tak krzyczysz?

– O co chodzi? – Tosia zbiega na dół z jednym okiem pomalowanym, a drugim w trakcie malowania. Wygląda zabójczo. Jest ruda.

– Gdzie ta babcia Jakuba mieszka? Adres, telefon! Sama zadzwonię!

– Nie rozmawiałaś z nią?

– Owszem, ale chcę jeszcze raz porozmawiać.

Tosia patrzy na mnie i widzę w jej oczach mord przenajczystszy.

– Zapytam Jakuba i ci powiem.

Uśmiecham się sardonicznie. Zapytam Jakuba i ci powiem! Myślała, że tak ukartowany plan nie wzbudzi moich podejrzeń! O nie! Proszę bardzo, mogę czekać.

W tym roku postanowiłam, że wyjawię im prawdę. To, co się dzieje w domu, jest trudne do opisania. Mama przestała się do mnie odzywać. Nie chcę dalej żyć w kłamstwie. Mój chłopak jest porządny, nie pije, nie pali, myślimy o wspólnej przyszłości. Mam dwadzieścia siedem lat i naprawdę chcę żyć własnym życiem.

Ufff.

– Tosia! – rozdzieram się znowu, tym razem prawie radośnie.

– Co znowu? – rudy wamp, który przybrał postać mojej Tosi, niechętnie schodzi na dół.

– Chciałam ci powiedzieć, że nieźle ci w tym kolorze, masz dobre włosy – jąkam.

Tosia wzrusza ramionami.

– Zawsze miałaś nie najlepszy gust. Dałam ciała. Jutro przefarbuję, wyglądam jak idiotka.

Dlaczego dorosła dwudziestosiedmioletnia kobieta z mojego listu jest tak uzależniona od mamusi i tatusia? Oto podstawowe pytanie. Odpowiedź musi być jasna, prosta i klarowna.

Droga Marto,

nie wiem, jak to się dzieje, że stosunki z dorosłymi dziećmi, które dawno przestały być dziećmi, mogą być tak burzliwe. Nie wiem, dlaczego dalej pozostajesz w roli dziecka, które próbuje oszukiwać, zamiast stanąć oko w oko ze stanem faktycznym. Może czas rzeczywiście się usamodzielnić – to znaczy zamieszkać osobno, prowadzić osobne gospodarstwo itd. Nie wiem oczywiście, czy masz ku temu warunki, ale pozostając w roli dziecka, upoważniasz rodziców do takiego traktowania siebie. Spróbuj z nimi spokojnie porozmawiać, ustalić...

Wieczorem Tosia przynosi mi na kartce adres i telefon babci Jakuba. No dobrze. Ale jeśli to jakiś przekręt? Jeśli dzieciaki podstawiły wymyśloną babcię, starą oszustkę, która jest z nimi w zmowie? Tosia obrażona. Zadzwonić? Nie dzwonić? Zadzwonić? A jeśli nie kłamała? Wyjdę na idiotkę. Kontrolowanie to idiotyzm. Ale może nie będę kontrolować, tylko sprawdzę.

Zadzwonię.

Nie zadzwonię.

Na razie ustaliłam z Ulą, że jak tylko mężczyźni znowu wyjadą, zrobimy sobie damski wieczór. Z maseczką jakąś. I zjemy sobie śniadanie o świcie.

*

Pomagam się Tosi spakować. Zadzwoniłam. Ta babcia Jakuba bardzo sympatyczna. Powiedziała, że będzie dzwonić, że rozumie mój niepokój, ale że Jakubek to cudowny chłopiec i nie muszę się martwić. Obiecała, że nie powie Tosi, że dzwoniłam. Marudzi przy tym pakowaniu Tosia strasznie. Torba wypchana, jakby jechała na co najmniej trzy miesiące.

– Po co ci suszarka?

Tosia patrzy na mnie z niedowierzaniem.

– Po to żeby suszyć włosy.

– Nie mogą ci schnąć, ot tak? Ja nigdy nie brałam na żaden wyjazd suszarki. A po co ci te kosmetyki?

Tosia pochyla się nad torbą.

– To jest krem z filtrami UV. To nawilżający. Po opalaniu. Tu na noc, tu do cery mieszanej. Tu tonik, tu mleczko do makijażu. Tu maseczka ściągająca. Przecież nie mogę bez tego jechać.

– Nigdy nie brałam na urlop żadnych takich rzeczy.

– I błąd. Widać to po tobie – mówi moja córka. – Kobieta w każdym wieku powinna o siebie dbać. Powinnaś brać przykład z Reni. Zobacz, jak ona wygląda. A ty jesteś w nowym związku i w ogóle o siebie nie dbasz. Nawet nie robisz gimnastyki, mimo że dostałaś ode mnie na imieniny kasetę z callaneticsem.

Niepokój mój rośnie z minuty na minutę. Dlaczego Tosia znowu mówi o Reni? Czyżby zauważyła to co ja? Że Adam się nią interesuje? Niestety nie mogę jej o to pytać. Jaka szkoda. Zresztą teraz mam poważniejsze rzeczy na głowie.

– Ale będziesz mądra, córuchno, prawda?

– Nie rozumiem, o co ci chodzi. Mów do mnie jasno. Chcesz zapytać, czy podejmę współżycie seksualne?

O mój Boże. Przez moment brakuje mi tchu. Jak ona może mówić o takich rzeczach. W ogóle nie o to mi chodziło!

– Trzymaj się – mówi moja córka i wychodzi do przedpokoju. – Adam! – krzyczy w stronę ogrodu. – Jestem gotowa!

Adam ma odwieźć ją, Karolinę i chłopaka Karoliny do Warszawy na pociąg. Ruszam za nią.

– Może pojadę z wami...

– Ojej, mamo, nie zmieścisz się. Przecież mamy jeszcze bagaże i podjeżdżamy po Jakuba. Proszę cię, nie utrudniaj. – Tosia zdawkowo całuje mnie w policzek.

– Zadzwoń od razu, jak przyjedziecie! – wołam za nimi. Po chwili słyszę tylko dźwięk zamykanej bramy. Moja córka pojechała z facetem po maturze na wakacje. I ja na to pozwoliłam.

Coś dla siebie

Borys plącze mi się pod nogami. Wchodzę do łazienki i przyglądam się sobie. No cóż. Jeśli porównywać mnie z Renią – to porównanie wypadnie na korzyść Reni. Ale ona chodzi na siłownię. Może Tosia ma rację. Może zamiast zajmować się całym światem, powinnam na przykład codziennie przynajmniej godzinkę poćwiczyć. Kobieta w moim wieku powinna dbać o siebie. Potem jest za późno. Nie będę się oszukiwać. Już jest za późno. Wieczór zapowiada się smutno. Moja nieletnia córka pojechała nie wiadomo gdzie, nie wiadomo z kim, Adam wróci w nocy, bo go kolega zaprosił jako eksperta do audycji radiowej, a ja jestem zupełnie sama. Koty buszują gdzieś w ogrodzie, tylko Borys ma wyrzut w spojrzeniu.

A może właśnie to jest taki moment, żeby zamiast postanawiać, że kiedyś pomyślę, podjąć jakieś decyzje już? Na przykład mogę sobie w domu ćwiczyć callanetics – bo mam wideo. I wcale nie dlatego, że Renia ćwiczy, tylko dlatego, że mam ochotę. Nie zabiera czasu dojazd na takie zajęcia – bo odbywają się w moim własnym domu, nie mam cudownego wykrętu w postaci braku odpowiedniego stroju, butów i innych gadżecików, bo nikt mnie nie widzi. Postanowiłam zacząć już – nie od jutra. I nie po to, żeby się porównywać z Jolą, tylko dla siebie.

Wyrzuciłam wszystkie rzeczy z szafy, żeby odnaleźć stare spodnie, co miały tę fantastyczną cechę, że były luźne. Przekopałam się przez sterty spódnic, sweterków, sukienek, ręczników, prześcieradeł, obrusików, skarpetek i już wieczorem byłam na najlepszej drodze do zrobienia generalnych porządków we wszystkich szafach. Wideo czekało spokojnie. Kiedy poskładałam wszystkie spódnice, sweterki, sukienki, ręczniki, prześcieradełka, obrusiki i skarpety uprzednio wyrzucone i włożyłam z powrotem do szafy – przypomniałam sobie, że czarne spodnie wyrzuciłam w kwietniu, kiedy robiłam generalne porządki i kiedy postanowiłam nie mieć żadnych starych i za luźnych rzeczy, które kiedyś mi się przydadzą.

W związku z tym wyłożyłam z powrotem na podłogę poskładane spódnice, sweterki, sukienki, ręczniki, prześcieradła, obrusiki itd., żeby odnaleźć szare legginsy, które spakowałam na samo dno szafy w zeszłym roku, bo przecież do następnego lata daleko. Następnie włożyłam rzeczy do szafy byle jak, bo już byłam zmęczona nieustającymi porządkami. Wideo czekało, ale zrobiło się późno. Przygotowałam legginsy i tiszercika na jutro – nie poddając się losowi, który chytrze próbował mnie odciągnąć od codziennej zdrowej gimnastyki. Adaśko wrócił w nocy, kiedy spałam jak zabita.

Wstałam wcześnie – ale znowu nie aż tak wcześnie, żeby mnie zbrzydziło. Adam pocałował mnie szybko na do widzenia i tyle go widziałam. Popracowałam cztery godziny.

Droga Redakcjo,
poznałam nad morzem chłopaka. Przysięgliśmy sobie miłość do grobowej deski, on mieszka blisko granicy i nieźle żyje z handlu przygranicznego, ale, droga Redakcjo, czy wy tam nie wiecie przypadkiem, czy sejm zlikwiduje handel przygraniczny, bo chcemy założyć rodzinę i lepiej byłoby wiedzieć, na czym stoimy...

Taka mądra to ja nie jestem. Nie wiem, na czym stoicie i na czym będziecie stać. I nawet sejm wam tego nie powie. Ani ustawa. Ja sama nie wiem, na czym stoję.

Droga Redakcjo,
chciałabym rzucić palenie, byłam nawet u jednego hipnotyzera, to on wziął pięćdziesiąt złotych, a ja dalej palę. To mi się w ogóle nie opłaca. Poszłabym do jakiegoś innego, ale żebyście za niego poręczyli, bo dosyć oszustwa w naszym kraju. A ja to może i palę więcej, a to kosztuje i niezdrowo.

Oszust! Mój Boże! Pięćdziesiąt złotych sama bym dała, żeby mnie nikt nie oszukał na więcej. Znajoma z redakcji zna kogoś, kto zna Ostapko. Obiecała, że postara się o jej adres. Palenie jest niczym, jeśli moje życie legnie w gruzach z powodu Ostapko. A ja nie mogę się rozlecieć.

Postanowiłam zrobić sobie przerwę. Nikogo nie ma, mogę poćwiczyć, nikt się nie będzie ze mnie naśmiewał. Nie wszystko naraz – powtarzałam sobie. Wstawać skoro świt, rzucać palenie itd. Najważniejszy pierwszy krok. Odłożyłam listy.

Włożyłam legginsiki i tiszercika. Zjadłam drugie śniadanie. Zaczęłam czytać biografię Hemingwaya – pasjonująca. Za oknem lało. Bardzo przyjemna pogoda do callaneticsu. Oczywiście – gdybym gdzieś miała teraz wyjść – byłoby strasznie. Ale w domu? Bardzo proszę. O pierwszej w południe włączyłam wideo. Przegoniłam psa do przedpokoju. Wideo cierpliwie czekało. Wyłączyłam muzykę, wsadziłam kasetę. I wtedy zadzwoniła Moja Mama – co robię. I jeśli nie jestem specjalnie zajęta, to może bym wpadła, bo zrobiła sto ruskich pierogów.

Wyłączyłam wideo, zdjęłam legginsiki, włożyłam dżinsy i wsiadłam w kolejkę. Pierogi ruskie były przepyszne. Wróciłam do domu wieczorem, razem z Adamem.

Adam wszedł do pokoju i od razu potknął się o kupę ubrań. Obok szafy leżała sterta swetrów, o których zapomniałam. Schowam później. Przecież postanowiłam się gimnastykować i muszę zacząć dziś, a nie jutro. Adamowi powiedziałam, że przez następną godzinę będę zajęta i żeby mi nie przeszkadzał. Wykazał znikome zainteresowanie i powiedział, że wobec tego idzie do Krzysia. Zdjęłam dżinsy i włożyłam legginsiki. I tiszerta. Włączyłam wideo. Zamiast callaneticsu ukazał mi się Harrison Ford. Nawet nie podejrzewałam, że mam nagrany ten film! Uwielbiam Harrisona Forda! Deszcz zaczął bębnić w okno. Obejrzałam calusieńki. Bardzo przyjemny film, kiedy tak pada i pada.

O dziesiątej zorientowałam się, że jest dziesiąta. Trochę się zdenerwowałam, że świat cały się sprzysięga przeciwko takiemu człowiekowi jak ja – który coś dobrego postanowił dla siebie zrobić. Przewinęłam Harrisona Forda – o rany, jak on na nią patrzył! – i włożyłam kasetę, na której powinien być callanetics. Powinien, ale nie było. Byli *Dezerterzy*. Wyjęłam *Dezerterów* i włożyłam następną. Wiem, że powinnam mieć wszystkie kasety opisane, ale nie mam. Zresztą to znakomita okazja, żeby nareszcie coś uporządkować – wobec tego siadłam wygodnie w fotelu i zajęłam się kasetami. Przygotowałam karteczki, nakleiłam na kasety i po prostu je opisywałam. Adam wsadził głowę w drzwi i popatrzył na mnie nieprzytomnie. Zupełnie inaczej niż Harisson Ford na tę pannę, w której się kochał.

– Co robisz?

– Nie widzisz? Porządek! – odpowiedziałam gniewnie. Mógł tak długo nie siedzieć u Uli i Krzysia.

– Od wczoraj? Kładę się, jestem nieprzytomny ze zmęczenia.

OK. W ogóle nie będę zazdrosna o to, że często wraca późno w nocy. Przecież bywa w radiu. I nie polecę do niego natychmiast tylko dlatego, że idzie do łóżka. Wpadłabym w związek toksyczny, to jest taki, w którym ludzie ani przez moment nie mogą być sami.

– Kładziesz się? – Adaśko stoi w drzwiach.

„Jeśli zależy ci przede wszystkim na nim i rzucasz wszystko na każde jego żądanie..."

– Jeszcze mam tutaj robotę...

– To dobranoc.

Nawet się nie obraził, nie powiedział „chodź", przecież bym poszła. Po prostu poszedł. Nie brakuje mu mojej obecności. Niech sobie śpi, skoro lepiej mu beze mnie. Dalej naklejałam karteczki na kasety. Przy *Cienistej dolinie* spłakałam się jak norka. Była pierwsza. Kasety z callaneticsem nie znalazłam.

Opisane kasety postanowiłam ułożyć porządnie, a nie byle jak. Przygotowałam jedną półkę na książki. To znaczy, zdjęłam książki i ułożyłam tam kasety. To też było pożyteczne zajęcie – bo odnalazła się książka Olgi Tokarczuk, myślałam, że mi jej nie oddała moja przyjaciółka pół roku temu, i prawie zerwałam kontakty z kłamczuchą jedną, co książek nie oddaje. Trochę mi się zrobiło głupio. Jutro do niej zadzwonię. Książki ustawiłam chwilowo na parapecie, bo i tak muszę zrobić generalne porządki w książkach. Położyłam się spać o wpół do trzeciej.

Następnego dnia zadzwoniłam do mojej przyjaciółki i przeprosiłam, że posądzałam. Zaczęłam od Adama, Reni, co chodzi na siłownię, czarnych spodni, tiszerta, obwodu w talii, szukania kasety itd. Bardzo się ucieszyła, że zadzwoniłam, bo właśnie znalazła moją Olgę Tokarczuk. U siebie na półce. Bo pożyczyłam jej nie *Prawiek*, tylko *E.E.* Więc ja się też ucieszyłam. Następnie powiedziała, że może mi pożyczyć kasetę z callaneticsem na zgodę i przeprosiny. Umówiłyśmy się na środę.

*

Tosia dzwoniła, że jest fantastycznie i czy może jechać do Szwecji. Nie może! Dlaczego?! Bo nie! Mówi, że rozmawiała z Adamem i on jest zdania, że ona może jechać do Szwecji. Czy ze mną rozmawiał? Nie, bo jeszcze nie wrócił. Bo oni chcą na rowerach jechać, prom jest tani, chociaż na parę dni, i że już rozmawiała z Tym od Joli, to przyśle jej jakieś pieniądze, i żebym nie utrudniała, tylko dała paszport Karolinie, bo Karolina pojechała po swój. Rowery są na miejscu. Nie! Nie! I jeszcze raz nie!

Kiedy Adam wraca z pracy, po pierwsze pyta, co z naszym wyjazdem, bo to przecież już lipiec i wakacje za chwilę się skończą. Po drugie – czy puszczę Tosię do tej Szwecji, bo to okazja i niedaleko, i żebym się nie wygłupiała, bo on bardzo by nie chciał, żeby tak bardzo nie mieć do niego zaufania, gdyby był na miejscu Tosi. I niech nie będę uzależnionym rodzicem. Tak jestem zdenerwowana pierwszym pytaniem, że zgadzam się, żeby Tosia jechała do Szwecji. Nie wiem, jak mu powiedzieć, że my nigdzie nie pojedziemy.

*

Wczoraj po drodze z redakcji wpadłam do Kasi po kasetę z callaneticsem.

Dzisiaj jest czwartek. Kaseta leży na wideo i czeka. Strasznie mnie boli głowa. Wypiłam już dzisiaj dwa soki pomarańczowe, jedną aspirynę z witaminą C, jeden alka zelcer czy inne świństwo, trzy herbaty z cytryną i butelkę wody mineralnej. W dalszym ciągu mnie suszy. Zadzwonił Adaśko i ubolewał, że nie widzi mojego kaca. Myśli, że się będę wstydzić! Niedoczekanie, socjologu jakiś!

Wszystko dlatego, że wczoraj zaczęłyśmy od resztek koniaku z urodzin Kasi. Nie pije się koniaku najpierw. Przed resztką wina do kolacji. I przed kieliszkiem ajerkoniaku na deser. Wzięłam również magnez i wapno. Nic mi nie lepiej. Patrzę na książki na parapecie, które będę musiała pilnie uprzątnąć, ponieważ nie otwiera się okno. Myślę sobie, że trzeba będzie jutro schować swetry, bo o nich zapomniałam i ciągle leżą na kupie koło szafy. Choć legginsiki i tiszercik w pogotowiu. Ale kaseta by do mnie sama nie przyszła, jak sądzę, więc trochę jestem usprawiedliwiona. O rany, jak mi się chce pić. O rany, jak mnie boli głowa.

Ale pojutrze na pewno wcześniej wstanę i zacznę ćwiczyć, skoro już, niestety, mam kasetę. Chyba że zadzwoni Moja Mama i powie, żebym przyjechała na żeberka. Moja Mama robi świetne żeberka.

Stanę na głowie

Dzisiaj prosto z redakcji pojechałam do Ostapko. Bez telefonu, bez uprzedzenia. Musi mi oddać pieniądze. Dość tego. Ostapko otworzyła mi drzwi w szlafroku. Cofnęła się na mój widok, ale nie zwracałam uwagi na jej wygląd. Koszmarny. Wepchnęłam się prosto w otwarte drzwi, usunęła się z wyraźną niechęcią.

– Judyta?

– Słuchaj – stanęłam w przedpokoju w pozycji bojowej. – Od miesiąca nie mogę się z tobą skontaktować. Oddaj mi moje pieniądze! Co z naszym cudownym interesem? Mów! – byłam zła jak diabli i wszystkiego miałam dosyć.

– Wejdź – Ewa otworzyła drzwi do małego pokoju, w którym piętrzyły się jakieś dokumenty, telewizor stał tyłem do ściany, a na telewizorze ustawione były jakieś pudła. – Przepraszam za bałagan, ale się pakuję.

Głos miała jakiś nieswój, co dopiero teraz zauważyłam.

– Chcesz kawy, herbaty?

– Chcę, żebyś mi oddała moje pieniądze. Nie wchodzę z tobą w żadne interesy!

Wtedy Ewa Ostapko, wspaniała Ewa Ostapko, która miała odmienić moje życie i dzięki której miałam zarobić dwadzieścia tysięcy bez kiwnięcia palcem, siadła, tak jak stała, na jakimś krześle i rozpłakała się.

– Nie mogę ci oddać – łkała – nie mam.

Serce mi powoli ruszyło do gardła, a potem wolno opadło na swoje miejsce.

– Nie masz? Jak to, nie masz? – Siadłam ciężko na drugim krześle, a mój głos był cichy. – Jak to, nie masz? – powtórzyłam tępo. Nie wiem, jak mogłam choćby przez moment pomyśleć, że jest silna i przebojowa. Otarła oczy.

– Oszukali nas.

– Ewa – kulka w gardle znowu urosła – rozumiem, że coś ci nie wyszło, ale nie stać mnie na takie prezenty.

Ewa stanęła nade mną jak kat.

– Nie oddam ci, bo nie mam. Myślałam, że obie zarobimy. Ja też na tym sporo straciłam. Pełno jest oszustów, dziennika nie oglądasz?

Owszem, nie oglądam. Czy to, że nie oglądam dziennika, zrujnuje moje życie? A mój związek, który opiera się na zaufaniu i szczerości? Dlaczego nie porozmawiałam wcześniej z Adamem?

– Nie mówiłaś mi o tym, jak brałaś ode mnie pieniądze, mówiłaś, że to pewny interes! – chciałam krzyknąć, ale z moich ust wydobył się tylko szept. Poczułam, jak strach łapie mnie za gardło, i było to uczucie podobne do tego, kiedy Ten od Joli powiedział mi, że zakochał się w innej. – Oddaj mi pożyczkę...

– A masz dowód, że pożyczałaś? – Ostapko podniosła głowę, i zobaczyłam jej twarz zmrożoną wściekłością. – Masz dowód? Przestań mnie nachodzić, bez tego mam dosyć kłopotów!

Zobaczyłam dno swojej głupoty w jej niebieskich oczach.

– Muszę się stąd wyprowadzić! Nie stać mnie nawet na wynajmowanie mieszkania! Muszę wrócić do Szczecinka, do domu! Jestem w znacznie gorszej sytuacji niż ty!

Szłam Alejami w stronę dworca kolejki WKD jak pijana. Nogi miałam miękkie, ludzie, którzy mnie mijali, wyglądali jak senne cienie. Nie widziałam rysów ich twarzy, wszystko było plamą. Domy i tramwaje, samochody i ludzie, wszystko to było jak za mgłą. Był początek lipca, miałam trzydzieści osiem lat i moje życie legło w gruzach.

Niczym było odejście Tego od Joli do Joli. Niczym było spanie w zimnym pokoju i brak orgazmu lata całe. Niczym było powiedzenie Naczelnemu trzy dni temu, że i tak będę sobie szukać lepszej pracy. Oto zachowałam się jak niedojrzała, nieodpowiedzialna kretynka, niszcząc świetlaną przyszłość. Adam odejdzie, kiedy się dowie, co zrobiłam. Nie miałam prawa ruszać naszych wspólnych pieniędzy. Zawiodłam na całej linii. Dowlokłam się do kolejki i usiadłam w ostatnim wagonie. Patrzyłam bezmyślnie w okno. Krajobraz przesuwał się szybko. RUTEK JEST W CIĄŻY Z SADOSIEM – mignął napis na murze. OPACZ MIASTO SEKSU I BIZNESU.

Biznes! Dlaczego skupiłam się na biznesie zamiast na seksie?

Patrzyłam, jak ludzie wchodzili i wchodzili, aż zrobiło się ciasno. Koło mnie jakiś młody człowiek wyciągnął walkmana i wsadził sobie w uszy słuchawki, po czym puścił jakąś muzykę tak głośno, że moje myśli przestały się poruszać. Muszę się jakoś ratować. Adam nie może się o niczym dowiedzieć. Stanę na głowie. Wrócę pokornie do Naczelnego i go przeproszę za idiotyczne dowcipy. Będę pisać cztery razy więcej listów. Będę sprzątać. Będę myć gary. Nie wiem, co zrobię, ale Adaśko się o niczym nie dowie. W połowie drogi plany na najbliższe miesiące miałam gotowe. Pożyczę skądś te dziesięć tysięcy i włożę z powrotem na konto. Potem pomyślę, jak spłacać długi.

Adam czekał na mnie z kolacją. Zrobił michę sałaty z sardynkami i olbrzymią ilością ziół, postawił lampę naftową na stole w ogrodzie i szerokim gestem zaprosił mnie do stołu. Myłam ręce i byłam pełna poczucia winy. A potem przybrałam twarz w uśmiech numer pięć i radosna wyszłam do ogrodu. Sałata była pyszna. Zaraz siedział na drugim końcu stołu

i przyglądał nam się niby dość spokojnie, ale podejrzanie szeroko otwartymi oczyma. Adam zrobił ruch, jakby go chciał strącić, ale spojrzał na mnie i powiedział:
– A niech tam. Przecież są wakacje.
Siedzieliśmy do dwunastej w ogrodzie. Obejmo-
waliśmy się i patrzyliśmy w niebo. A ja wiedziałam,
że nie pozwolę nam się rozstać.

*

Ala pożyczy mi na miesiąc pieniądze! Świat nie
jest taki okrutny i tak pięknie pachnie! Co roku szukam
zbóż różnego rodzaju, żeby ściąć je tuż przed żniwami.
Podobno takie zboża postawione w rogu pokoju przy-
noszą przez cały rok obfitość. Nie wiem, czy to nie
czczy zabobon, ale od czasu, kiedy o tym usłyszałam,
stoją u mnie i owies, i pszenica, i żyto. Szkoda, że
Ostapko o tym nie wiedziała. Uniknęłabym kłopotów.
Lato w pełni – nie będę się dzisiaj zajmować upływem
czasu i martwieniem się, że niedługo przecież jesień.
Pojechałam do Warszawy na spotkanie z Alą, Ala
jest jedyną znaną mi osobą, która ma pieniądze, i wy-
błagałam od niej pożyczkę. Ala pracuje ze mną – jest
zastępcą sekretarza redakcji i dobrym kumplem. Ma
jedną wadę. Kiedy tylko gdzieś wyjedzie – natychmiast się zakochuje. W tym roku wybrała się nad morze już na początku czerwca, plaża, szum morza i te
rzeczy, i jak zwykle wróciła zakochana. Żeby ona się
jeszcze zakochała w jakimś przyzwoitym facecie

z tego samego miasta! Nie! Jej wybrankiem jest zawsze ktoś, kto mieszka przynajmniej dwieście kilometrów obok. Bardzo jej współczuję. Choć ona zakochuje się zawsze szczęśliwie! Już od lat! Oczywiście co roku w innym panu.

I zawsze, ale to zawsze – bez względu na to, gdzie jedzie (nawet z wczasów odchudzających przywiozła wielką miłość!), spotyka tego właściwego mężczyznę. Wolnego. Przystojnego. Sympatycznego. Któremu ona też zawróciła w głowie. Aż dziw, jak pomyślę, ile to już lat ona ma tę wielką obfitość niezapomnianych romansów. Niektórych z tych mężczyzn poznałam. Żeby trafił się jej jakiś nieudacznik! Żeby chociaż głupi. Żeby może miał jakieś wyraźne mankamenty. Nie. Przyzwoici, mili ludzie, zapatrzeni w nią, no, ale odległość robi swoje i zawsze kończy się tak samo.

On przyjeżdża, potem dzwoni, potem przyjeżdża coraz rzadziej, potem ona ma czas albo go nie ma, potem dzwonią do siebie już nie codziennie trzy razy, ale raz w tygodniu – czemu się specjalnie nie dziwię, jak patrzę, co wyrabia Telekomunikacja Polska – oraz inne ery – a już w okolicach Wielkanocy kartka z życzeniami. Zdawkowa.

Ala jednak w tym wszystkim jeszcze znakomicie się trzyma. Nie płacze, nie histeryzuje. Wykazuje podziwu godny rozsądek.

– No cóż, takie jest życie. Odległość. Nie wytrzymaliśmy próby czasu – mówi.

A potem zbliża się cudowny lipiec i sierpień – i ona znowu wyjeżdża. I znowu się zakochuje. I cała zabawa zaczyna się od początku.

A tego lata była na urlopie już w czerwcu. Nad ślicznym, zimnym polskim morzem. I tam spotkała miłość swojego życia. Wróciła, nie dość, że opalona, to na dodatek uskrzydlona.

– Tym razem to jest to! – przekonywała mnie, jak tylko przyjechała znad morza. – Z nim będę do końca życia.

Mężczyzna tym razem mieszka gdzieś nad Odrą. To było dwa tygodnie temu. Co się zdarzyło w ciągu tych dwóch tygodni? Słowo daję, wiele wiem o życiu (z listów do redakcji, rzecz jasna), ale tego bym nie podejrzewała. Otóż mężczyzna jej życia przyjechał do stolicy natychmiast po powrocie z urlopu. Nie wiem, czy zdążył zrobić pranie, czy po prostu zmienił koszulę i wsiadł w pociąg prosto do Warszawy. Zadzwonił, że jest. Ona oszalała ze szczęścia. Choć nie ukrywała zaskoczenia, bo praca, bo nie zdążyła do fryzjera, bo przecież widzieli się dwa dni temu. Ale szalała. Cały weekend włóczyli się po Starówce i Łazienkach oraz zapewniali się wzajemnie o dozgonnym uczuciu.

Wyjechał. Dzwonił codziennie przez cztery następne dni. W piątek zaprosił ją do siebie. Ona wykręciła się z wdziękiem – bo chociaż to była wielka i jedyna miłość – przecież widzieli się niedawno. Znalazła sto osiem powodów, że mama, że praca zlecona, że dom i tak dalej. Wtedy on powiedział, że przyjeżdża.

Wtedy ona lekko spanikowała. Bo przecież widzieli się cztery dni temu.

Przyjechał. Z planem. Zmieni pracę, rozmawiał z szefem, jest oddział w Warszawie. Wynajmie swoje mieszkanie. Jak i kiedy może się tu przenieść. Bo jeśli to wszystko ma być na poważnie, to przecież nie przy takiej odległości. Należy spróbować być razem. Żyć. Zaryzykować. Sprawdzić. Przecież są dorośli. Wszystko to powtórzyła mi w poniedziałek – wzburzona.

Kładłam to na karb niezwykłej radości, że nareszcie trafił się jej mężczyzna życia – dość dorosły i mocno zaangażowany. O moja naiwności! Przyjechałam do niej po południu. Ala wyglądała ślicznie – opalona, w czerwonej bluzce otworzyła mi drzwi i wciągnęła do środka.

– Siadaj, siadaj, robię kawę – krzyknęła i zniknęła w kuchni.

Powlokłam się za nią i nawet nie miałam odwagi powiedzieć, że nie pijam kawy.

– Pieniądze są na stole – powiedziała, dłubiąc w ekspresie. – Ale musiałaś zaszaleć. Tylko pamiętaj, muszę mieć z powrotem za miesiąc. Wpłacam ratę na samochód.

Wróciłam do pokoju i schowałam pięć tysięcy do stanika. Za mną przydreptała Ala. Postawiła na stole filiżanki.

– A jak Robert? – zapytałam nieśmiało.

– Sama rozumiesz, musieliśmy się rozstać! A tak się pięknie wszystko zaczynało! – Głos jej drżał od tłumionego zawodu, a ja nie rozumiałam, o co chodzi.

– Rozstać? – mówiłam. – Przecież on chciał z tobą być...

– No właśnie! Jak można planować życie z obcą kobietą? On chce mnie od razu przywiązać, ubezwłasnowolnić, wsadzić w gary, obiadki, i ani się obejrzę, jak będę nikim! – krzyczała rozżalona na Bogu ducha winnego faceta.

– Wygląda na to, że cię kocha i traktuje poważnie – nieśmiało próbowałam wtrącić swoje trzy grosze.

– Gdyby mnie kochał, nie zmuszałby mnie do życia z sobą – wymknęło się jej.

No i wszystko było jasne.

Oczywiście, pewnie istnieją w przyrodzie takie przypadki, że mężczyzna, który kocha kobietę, powinien się trzymać od niej z daleka. Na przykład psychopata lub alkoholik. Ale ten mężczyzna nie wydawał mi się agresywny. Wprost przeciwnie, wykazywał pewne wyjątkowe cechy dojrzałości: odpowiedzialność, umiejętność podejmowania decyzji i ryzyka.

– Nie mam szczęścia do facetów – westchnęła Ala.

– Dobrze, że przynajmniej tobie się udało.

Chciałam jej powiedzieć, że jest kobietą, która lubi romans – i tylko romans. Kobietą, która lubi adorację – i tylko raz na jakiś czas. Kobietą, która udaje, że chce być z kimś. A potem zrobiło mi się jej strasznie żal – bo Ala jest naprawdę wyjątkowo dobrym człowiekiem. Aż chce się z nią być. Nigdy nikomu nie odmówiła pomocy. Nigdy nie zawiodła przyjaciół. Ileż razy w redakcji się zdarzało, że komputer komuś połknął tekst, który musiał być właśnie łamany, albo nie wyszły zdjęcia – Ala załatwiała z Naczelnym wszystkie sprawy tak jakoś sprytnie, że nigdy nie było afery. A z mężczyznami...

Posiedziałam u niej pół godziny i wyszłam z pieniędzmi. Wpłaciłam je do banku i pomyślałam, że w gruncie rzeczy wcale nie różnię się od niej. Ona boi się być z mężczyzną naprawdę, ja boję się z Adamem być szczera. Całe szczęście, że ja Adaśkowi wszystko opowiem, kiedyś, przy okazji. Ale teraz muszę sobie sama dać z tym radę. Adam w życiu nie wziąłby pożyczki tylko dlatego, że ktoś mu obiecuje szybki i bezbolesny zarobek. Doprawdy nie wiedziałam, że mogę być aż tak naiwna, i nie chcę, żeby on o tym wiedział. Wszystko będzie dobrze. Mam miesiąc na załatwienie kredytu w banku i odwiedzenie Adaśka od wspólnego urlopu. Ciężko płacę za swoją głupotę.

Nareszcie sami

Nareszcie będziemy mieli całe dnie dla siebie. Oczywiście po przyjściu z pracy. Nikt nam nie będzie przeszkadzał, będziemy się wcześnie kłaść spać i wcześnie wstawać, przekopiemy ziemię pod płotem Uli i posieję szybko jakieś ziółka. Za późno. Kupię gotową bazylię w doniczkach i przesadzę. Adam naprawia kosiarkę – szósty raz w tym roku. Kosiarka ma silnik od pralki, noże zrobione przez jakiegoś nożownika od kosiarek, ale ciągle się tam coś wplątuje i przestaje działać. Stanął Adaśko przy mnie.

– Słuchaj, Jutka... – i zawiesił znacząco głos.

Od tego zawieszenia głosu to mi się zawsze robi ciepło w brzuchu i lekko mięknie mi pod kolanami.

– No słucham – odpowiedziałam, bo też i co mam nie słuchać.

– Jakbyśmy tak zasłonili okna i udawali, że gdzieś pojechaliśmy, i nie zapalali światła, to wszyscy by myśleli, że nas nie ma, prawda?

Już wiem, co ma na myśli, bo czasami tak robimy. Jak jest Tosia, to nie możemy. Nie wiem, dlaczego mamy z tym tyle problemów, bo na przykład ani Renia, ani Artur nie muszą zasłaniać okien i udawać, że ich nie ma. Ula z Krzysiem też sobie normalnie idą do sypialni, kiedy chcą. A my musimy kombinować, choć nie ukrywam, że ma to swoje dobre strony i wywołuje lekki dreszczyk, który sprawia, że czuję się, jakbym brała udział w filmie erotyczno-thrillerowatym. Może gdyby się ze mną w końcu ożenił, czego oczywiście w ogóle nie chcę, to pewne rzeczy stałyby się dla mnie bardziej oczywiste. Oczywiście w ogóle tego nie chcę, żadnych ślubów, żadnych mężów, żadnych uzależnień od mężczyzny, niech sobie nie myśli!

– Może byśmy tak zrobili – szepczę.

I robimy. Mimo że początek lipca, Adam zapala w kominku. Zasłaniam okna, biorę kąpiel i wiem, że przede mną romantyczny wieczór z akcentem seksualnym, a na dodatek dziecka w domu nie ma, co czyni tę sytuację jeszcze bardziej pociągającą. Nie chcę myśleć, co teraz może robić Tosia. Wchodzę do sypialni, Borys rozwalony na łóżku. Wyganiam go do dużego pokoju, zapalam świeczkę, Adam kręci się po kuchni, otwiera wino, przynosi kieliszki. Pieniądze na koncie, teraz tylko mogę go przekonywać z czystym sumieniem, żebyśmy odłożyli urlop na przykład na zimę. Do zimy daleko. Adam staje nagi nade mną, matko moja kochana, mam nadzieję, że moja córka Tosia inaczej spędza wieczory niż ja!

Odsłaniam kołdrę gestem podpatrzonym w filmie amerykańskim, Adam wskakuje, zakopujemy się w pościeli, oplata ramionami moją (chciałabym móc powiedzieć: wiotką kibić) szyję i... zamiast romantycznego westchnienia słyszę:

– O cholera jasna! A co tu robi ta piaskownica?

Zrywa się i zapala światło. Rzeczywiście w nogach kupka piachu po Borysie w malowniczym nieładzie rozprzestrzeniła się na pół tapczanu. Cały romantyzm diabli wzięli, bo zabraliśmy się do zmiany pościeli. Po czym, radośnie chichocząc, wskoczyliśmy do czystego łóżka i zgasiliśmy światło. Paliła się tylko mała świeczuszka. Wyciągnęłam rękę po wino, a Adam rozłożył się jak basza.

– Nie wiem, czy w naszym wieku wypada robić takie rzeczy.

– Jakie? – zapytałam niewinnie i wypiłam wino.

– Nie pamiętam, co miałem na myśli. To skleroza – powiedział i szczypnął mnie w pośladek.

Wtedy zadzwonił telefon. Zamarliśmy.

– Odbiorę, ktoś zobaczył światło.

– Zabiję cię, jeśli nie wrócisz w ciągu dwóch minut.

Wyskoczyłam z łóżka, zła, że w takim momencie, o wpół do dziesiątej, kiedy przed nami romantyczny wieczór (pierwszy, odkąd Tosia wyjechała), ktoś akurat musi dzwonić. W ten sposób znakomicie obniżamy średnią krajową, jeśli chodzi o seks, która i tak pozostawia dużo do życzenia i którą dotychczas podnosiliśmy.

Wciągnęłam tiszert Adama i pobiegłam do telefonu.

– Halo?

– Masz chwilkę?

Nie, nie miałam ani chwilki do stracenia. Ostatecznie nie zawsze czeka w łóżku mężczyzna na trzydziestoośmioletnią kobietę i absolutnie nie miałam czasu na żadne głupie rozmowy telefoniczne. Dzwoniła Agnieszka i głos miała smutny jak sześć kilo ziemniaków do obrania.

– No jasne – powiedziałam, przypominając sobie z trudem, że muszę mieć dla niej czas, bo to ona mnie wspierała, jak ja byłam w trudnej sytuacji. – Poczekaj chwilkę. – Odłożyłam słuchawkę na stolik i pobiegłam do Adama.

– To Agnieszka, muszę z nią chwilę pogadać, ma problem – ucałowałam go w czółko i nalałam sobie wina. – Poczekasz?

– Jak Godot będę cierpliwy.

– Oni czekali na Godota, a nie Godot na nich, przypominam.

– Nie jestem pewien. W rzeczywistości mogło być inaczej. – Adam przekręcił się na bok i sączył wino. – Leć i wracaj szybko.

Z winem w ręce usadowiłam się w fotelu i złapałam słuchawkę.

— Co się dzieje? – starałam się, żeby w moim głosie nie było zniecierpliwienia.

— Nie wiem, mam jechać czy nie jechać do Białegostoku?

O rany! Myślałam, że ten temat mamy już za sobą. Otóż Agnieszka trzy miesiące temu była służbowo w Białymstoku, gdzie jej firma ma oddział. W tym właśnie Białymstoku szefem *public relations* jest niejaki pan Gwidon. I pan Gwidon na bankiecie z okazji pięciolecia firmy Agnieszkę ostro emablował. Nawet całowali się przed hotelem w taksówce i Agnieszka musiała całą siłę woli skupić na tym, żeby go do tego hotelu nie zaprosić, na co bardzo nalegał. No i Agnieszka, która bez wątpienia bardzo kocha Grzesia, trochę się zadurzyła. Odbyłyśmy sześćet tysięcy rozmów w rodzaju: ja Gwidona nie kocham, ale ty nie rozumiesz, co to znaczy być całowaną od piętnastu lat przez jednego mężczyznę!

Tu mi trochę dokuczyła, bo to było przed epoką Adaśka (czeka na mnie, szybciej, Agnieszko!), ale rozumiem, że emocje wzięły górę, więc nie przywiązałam do tego specjalnej wagi. Potem jakieś esemesy, telefoniki, jak był w Warszawie, to się spotkali na kawie, i to by było na tyle. Niestety trzy tygodnie temu w jej macierzystej firmie w Warszawie odbył się zjazd wszystkich VIP-ów. Ale tym razem Gwidon już nie rzucał w stronę Agnieszki powłóczystych spojrzeń, tylko wziął sekretarkę do hotelu i ta sekretarka wyszła od niego rano. Agnieszka popadła w obłęd.

– On przecież się we mnie zakochał! – jęczała. – Jak on mógł mi to zrobić, na moich oczach?

Agnieszka przeprowadziła małe dochodzenie, okazało się, że Gwidon ma żonę, uroczego synka oraz słynie z jednonocnych kontaktów bez zobowiązań. A teraz znowu się szykuje wyjazd do Białegostoku i szef zapytał, czy ona jedzie, bo trzeba zamówić wcześniej pokój w hotelu.

– Nie jedź – odpowiedziałam prosto.

– Mam nie jechać? – w głosie Agnieszki usłyszałam zdumienie.

– Nie jedź – powtórzyłam.

– A mogłabyś to jakoś uzasadnić? Łatwo rzucić hop-siup.

– Jak nie pojedziesz, to będziesz zadowoloną, szczęśliwą z życia osobą, która nie ma wyrzutów sumienia w stosunku do swojego męża.

– Nie mieszaj w to mojego męża! – Agnieszka poczuła się dotknięta. Po chwili milczenia dodała smutno: – Ale jeśli nie pojadę, to będę zrozpaczoną, samotną i porzuconą osobą. Gdzie tkwi błąd?

– Nie jedź.

– Próbowałam rozmawiać z Mańką, ale ona powiedziała, że jestem nienormalna. Więc co mam zrobić?

– Nie jedź.

– Nie rozumiem cię. Ja po prostu szukam rozwiązania, a nie zaprzeczenia. Myślałam, że mi pomożesz.

– Nie jedź.

Podwinęłam nogi pod siebie i upiłam trochę wina.

– A to, że jedzie Aśka, to nie jest żaden argument? Nie? Ale jak nie pojadę, to będą mnie obgadywali. Sekretarka... Ale między nami powstała jakaś więź, a ty jesteś trywialna. Jak nie pojadę, jemu serce pęknie.

– Być może pęknie, ale nie przy tobie, tylko przy sekretarce.

– Masz rację. Lepiej byłoby, gdybym nie pojechała. To co mam robić?

– Nie jedź – powtórzyłam tępo.

– Czyli jeśli będzie następny służbowy wyjazd, to mam szefowi powiedzieć, że też nie pojadę? Czy jesteś w stanie powiedzieć mi coś innego, doradzić coś mądrego?

– Chciałabyś, żebym ci powiedziała: jedź? – zapytałam odkrywczo.

– Tak!

– Ale ja nie powiem. Nie jedź.

– Czy ty musisz być naprawdę aż tak niemiła dla mnie?

– Nie. Ale nie jedź.

– Jesteś monotonna. Będzie mi z tym zdecydowanie lepiej? Jestem beznadziejna, twoim zdaniem? Nie wiem, co robię? Powinnaś powiedzieć: jedź.

– Ale ja ci powiem: nie jedź. – Wino mi się skończyło i chciałam do Niebieskiego pilnie i natychmiast.

– Ale niby dlaczego? I na takie proste pytanie nie potrafisz odpowiedzieć prawidłowo? Są trzy pytania w przyrodzie, które chciałabym ci zadać. Czy istnieje

Bóg, czy jest życie po śmierci i czy mam jechać? Czy może raczej nie? Na pierwsze dwa możemy sobie odpowiedzieć kiedy indziej. To co mam robić, ostateczna, krótka odpowiedź! W końcu udzielasz rad, prawda?

– Nie! – krzyknęłam w telefon. – Nie jedź! Jeśli twój mąż jest dla ciebie chwilowo nikim, to przyjmij do wiadomości, że Gwidon ma cię gdzieś!

– Skąd wiesz? – zmartwiła się Agnieszka. – Myślisz, że przez tę sekretarę? Ale chyba masz rację... Skoro był z tą wstrętną sekretarą. Jak ona się nie wstydziła... – Agnieszka brzmiała naprawdę smutno. Po chwili jej głos nabrał zdecydowanej barwy: – To znaczy, że powinnam pojechać i dać mu do zrozumienia, że między nami nic nie było, że jest mi obojętny. – Tym razem jej głos nabrzmiewał nadzieją.

Spojrzałam na zegarek. Dwadzieścia cennych minut minęło.

– Nie jedź. Jemu jest obojętne, co zrobisz. Nawet nie zadzwonił.

– I tak się nie mam w co ubrać.

– I bardzo dobrze, będzie ci łatwiej nie jechać.

Agnieszka zamilkła.

– To może nie pojadę – zabrzmiało w słuchawce. – No to pa, zdzwonimy się.

Wyjęłam wtyczkę telefonu ze ściany i wróciłam do Adama z pustym kieliszkiem w ręku. Leżał rozwalony w poprzek łóżka. W nogach spał Borys na dopiero co zmienionym prześcieradle. Świeczka skwierczała, knot zanurzył się wosku. Do połowy pełny kieliszek stał na podłodze. Siadłam na łóżku i delikatnie dotknęłam ramienia Niebieskiego.

– Chodź, chodź, czekam przecież... – głos Adama był senny.

Zdmuchnęłam świeczkę i położyłam się obok niego. Przerzucił przeze mnie ramię, ułożył sobie wygodnie moją pierś w zgięciu łokcia i zasapał mi w obojczyk przytulnym ciepłem. Przez sen.

Leżałam nieruchomo i zastanawiałam się, dlaczego kiedyś, dawno dawno temu, bardzo pragnęłam mieć telefon. Cóż za bezsensowne pragnienie. A potem pomyślałam sobie, że mam nadzieję, że Tosia tak właśnie spędza wieczory. A potem zasnęłam.

*

Dlaczego, gdy byłam młodą kobietą dwudziestoletnią, nie chciałam się kochać rano, skoro to jest takie przyjemne? Nie wiem. Coraz częściej nie znajduję odpowiedzi na te i inne pytania, a przecież płacą mi za odpowiedzi. Może powinnam sama do siebie napisać?

Pojechałam do redakcji i zapukałam do Naczelnego.

– Kolega był na sesji „Playboya" – powiedział z niesmakiem. – Wie pani, że im, tym modelkom, podklejają pośladki skoczem?

– Po co? – zapytałam inteligentnie, bo przecież żaden skocz na świecie nie utrzyma pośladków w pozycji pionowej.

– Nie wiem. Podobno obrzydliwie to wygląda.
– Naczelny był naprawdę zniesmaczony. – Tak, tak, życie rozwiewa złudzenia. A pani w jakiej sprawie, pani Judyto?

Wytłumaczyłam mu pokrótce swoje problemy finansowe i to, jak beznadziejnie wpłynęły na moją psychikę, mocno kajając się za poprzednie zachowanie i pogróżki, że zmienię pracę, i poprosiłam o jakieś dodatkowe zlecenia.

– Może by pani napisała coś o seksie? – ożywił się Naczelny, ale zanim zdążyłam odpowiedzieć, machnął ręką. – Nie, w tej sytuacji to bez sensu...

– Chętnie napiszę – wyjąkałam. Człowiek, który ma dług do spłacenia, może pisać nawet o seksie, choć byłabym tysiąc dwieście piętnastą osobą, która pisze o seksie. Gdyby wszyscy, którzy piszą, zajęli się teorią, nie praktyką... Aż przyjemnie pomyśleć.

– No to niech pani napisze. Chociaż właściwie byłbym za powrotem do stałych wartości w zmiennych kolejach losu – westchnął Naczelny. – Jak uratować związek, jak porozumieć się z partnerem... Teraz są takie książki... Niech pani napisze, okres urlopów, nikt nie pracuje – westchnął Naczelny i popatrzył w okno.
– Ja też muszę jechać na urlop. Co zrobić, takie życie.
– Nie wydawał się zachwycony.

Podziękowałam i cichutko się wycofałam za drzwi. Oczywiście, że napiszę! Napiszę, będę pisać i pisać, muszę pracować, bo nie jestem w stanie żyć spokojnie z takim długiem. Po drodze do domu wstąpiłam do księgarni i kupiłam mnóstwo pożytecznych książek, które na pewno kupiłaby Brigdet Jones, gdyby była na moim miejscu. I tak wolę Adaśka niż Hugh Granta.

Jak go uwieść. Jak go zostawić. Jak go zanęcić. Jak go zniechęcić. Mizoginista i kobieta, która kocha. Porozum się z partnerem. Porozum się z mężem. Porozum się z kochankiem. Zrozum, co on mówi. Zrozum, co on czuje. Zrozum, czego on nie mówi i tak dalej. Do tych książeczek pani na stoisku dodała mi dwie: *Znaki zodiaku, jak się łączyć, by żyć długo i szczęśliwie*, co mi się wydało pozycją najciekawszą. I jeszcze jedną książkę o seksie. Wydałam sto sześćdziesiąt cztery złote, bo zakupy zrobiłam w stoisku z tanią książką.

Napiszę cykl artykułów. Naczelny się zachwyci i poprosi mnie o stałą rubrykę. Przed oczyma duszy tańczyła mi w dużym lejaucie moja własna rubryka: „Judyta radzi". Nie, beznadziejne, jak ktoś komuś coś radzi, to na pewno ludzie tego nie czytają. Judyta rozumie. Nikt w to nie uwierzy. Judyta i ty. Ty i Judyta. Judyta, która nie radzi. Judyta, która nie radzi nigdy nic nikomu.

Judyta, która sobie nie radzi.

Judyta cię zrozumie. Ty, on i Judyta. Kochane trójkąty. Ty w trójkącie z Judytą. Twój partner i Judyta. Miłość Judyty. Adam i Judyta. Judyta i Adam Niebiescy. Ciekawe, jak by wyglądała nasza wspólna tabliczka z nazwiskiem na drzwiach? Nigdy bym oczywiście nie zmieniła nazwiska, a tym bardziej na nazwisko

Adama, bo przecież Tosia nosi moje, to znaczy Tego od Joli, i mogłaby czuć się trochę obco, gdybym ja przypadkiem nosiła nazwisko Adama. Bo Tosia chyba tak szybko nie zmieni nazwiska. A ja też nie. Ponieważ nigdy za niego nie wyjdę, bo nie chcę. Nie będę nosiła żadnego głupiego nazwiska po jakimkolwiek facecie, nawet gdyby to miał być mój Adaśko!

Zdenerwowałam się trochę. Wszystko na mojej głowie. Adam miał podjechać na róg Marszałkowskiej i Jerozolimskich o piątej i wcale go nie ma. A tu nie można parkować. Nie będę się więcej z nim umawiać. A jeszcze tak niedawno mogłam na niego liczyć i był punktualny. I przecież wcale nie wzięliśmy żadnego głupiego ślubu, po którym mężczyźni zaczynają się spóźniać, rzucać skarpetki byle gdzie i nie naprawiać uszczelki pod zlewem, co Adaśko robi z zapałem i znawstwem socjologa, a czego nigdy nie umiał zrobić Ten od Joli.

Stoję na tym rogu jak głupia i naprawdę czuję się jak porzucona kobieta. Książki mi ciążą i na pewno wszyscy na mnie patrzą i myślą sobie: o, następna porzucona, naiwna baba. Nie będę z siebie robić pośmiewiska. Poczekam jeszcze dwie, trzy minuty i idę do kolejki. Oto jak poranny seks wpływa na mężczyzn. Patrzę na zegarek – jest siedemnasta czterdzieści. Uuuu, niedobrze. Ale trochę mógł na mnie poczekać. Kiedyś czekał. Ciekawa jestem, jak długo tu stoję? Z pięć minut? Właściwie nie mam po co stać dalej. Pojechał.

– Dzidziu słodka, czy ty masz zegarek?

Odwracam się i widzę mojego kochanego Niebieskiego.

Wcale mu nie zrobię awantury, że się spóźniłam.

Rozkładam bezradnie ręce z dwoma ciężkimi reklamówkami z napisem „Tania książka".

– Musiałem zaparkować przed Smykiem. Chodź – bierze ode mnie torbę z książkami i zagląda do środka. Na samym wierzchu *Seks i wszystko, co o nim powinnaś wiedzieć.*

Niebieski uśmiecha się, socjolog jeden!

– Trzeba było zapytać rano, a nie literaturę na ten temat kupować. Liczy się empiria. – Jak chce mi podokuczać, to mówi takie rzeczy.

– Empiria – zaczynam – to doświadczenie, więc...
– Stukam go przyjaźnie w ramię i wcale nie wypominam, jak to wczoraj na mnie miał czekać z tym winem. Bo Adam jest bardzo, ale to bardzo dobry. W ogóle nie wiem czasami, jak się przy nim zachować, bo nawet nie mogę się z nim pokłócić, w czym byłam niezła, jeśli chodzi o Tego od Joli.

Przyjeżdżamy do domu prawie wieczorem. Na zachodzie niebo rozlewa się w pomarańczową strugę. Siedzimy pod wierzbą i gryziemy kurczaczki z jakiejś jadłodajni, popijając sokiem pomarańczowym. Adam pije resztkę wczorajszego wina.

– Juta, czy ty serio mówiłaś, że nie chcesz nigdzie jechać na urlop? Będziemy sobie siedzieć w domu?

No i jednak człowiek spokojnie nie może zjeść, bo mu wypominają coś, co powiedział w chwili słabości. A może mu to na rękę, że nie chciałam jechać na tę Kretę?

– A ty chcesz jechać? – pytam ostrożnie.

– Pojechałbym... Ale...

Martwieję. Zaraz mi powie, że nie ze mną albo że chciałby z samym Szymonem, albo z byłą żoną, bo się za nią stęsknił.

– Szymon pilnie potrzebuje komputera. Pomyślałem, że jeśli naprawdę wolisz zostać, to byłoby na komputer dla niego z tych pieniędzy, co odłożyliśmy na wakacje, a my może byśmy skoczyli w zimie, tak jak chciałaś? Wziąłem stałe zlecenie w radiu, to szybko ten wydatek się zwróci... Co ty na to?

Co ja na to? Nic. Nie mogę mu powiedzieć, że jestem winna Ali pieniądze, i przyszło mi do głowy, żeby nakłamać, że Moja Matka albo Mój Ojciec pilnie chcą pożyczyć pieniędzy i czy możemy im... Nakłamię później.

– Jasne – mówię spokojnie – zróbmy tak. Teraz jest za gorąco w ciepłych krajach.

– Fajnie. Szymon się ucieszy. Zresztą myślałem, że Tosi też by się przydał własny sprzęt. Przecież ona już od roku ma zajęcia z informatyki, a ty jej nie pozwalasz korzystać ze swojego.

– Pozwalam – oburzam się. – Oczywiście, że pozwalam, ale w granicach normy.

– No tak – Adam łapie mnie za nogę. – Tylko norma u ciebie taka niewielka.

– Adam, to jest moja praca, a nie przyrząd do zabawy. Ile może być komputerów w domu? Twój, mój i jeszcze Tosi?

– No – potakuje Adam. – Stary komputer Szymona, gdyby mu powiększyć pamięć i twardy dysk, byłby całkiem niezły za całkiem niewielkie pieniądze. Jakieś tysiąc, tysiąc dwieście.

To tyle, ile miesięcznie będę spłacać przez następne dwa lata, jeśli dostanę tę cholerną pożyczkę w banku, żeby oddać Ali pieniądze. Boże drogi, co ja narobiłam?

Furtka skrzypnęła i wśród dalii pojawił się Krzyś. Machnął ręką w kierunku nieba.

– Chodźcie na małego grilla – powiedział. – Uczcimy ten zachód.

I uczciliśmy.

Uniezależniam się

– Naprawdę nie chcecie nigdzie jechać? – głos Konrada był tak donośny, że aż Ula pochylona nad roślinkami w swoim obejściu podniosła głowę znad swoich roślinek.

Konrad z żoną wpadli do nas sobotnim popołudniem. Było jasne, że uzależniam się od Adama i postanowiłam wszystko naprawić. Teraz nasz dom będzie pełen gości.

„Jeśli przestajesz się spotykać z przyjaciółmi, bo on staje się najważniejszy..."

– Wcale im się nie dziwię – powiedziała żona Konrada, rozglądając się po naszym ogrodzie. Który, co prawda, nie jest jeszcze całkiem zrobiony, ale różności już zakwitły, a dynia posadzona w kącie ogrodu wypuszcza w stronę domu sześciometrowe wąsy z pięknymi białożółtawymi kwiatami.

– A można wiedzieć dlaczego? – Konrad nieopatrznie zwrócił się do żony.

Do tej pory myślałam, że ja mówię dużo. Otóż nie, przy żonie Konrada mogłabym uchodzić za żonę Lota. Zanim ktokolwiek z nas zdążył zażegnać wiszącą, wydawałoby się, w powietrzu kłótnię, żona Konrada zaczęła mówić z szybkością karabinu maszynowego.

– Och, kochanie, pamiętasz, jak zarządziłeś, że urlop spędzimy bez dzieci? W zeszłym roku... – zadawała pytania, ale wcale nie czekała na odpowiedź. – Powiedział, są już na tyle dorosłe, że mogą jechać na obóz i na kolonie, na szczęście nas na to stać, a my, no cóż, należy nam się chwila dla siebie. Tak powiedziałeś, kochanie, prawda? I wyobraź sobie – tu zwróciła się do mnie, pochylając lekko tułów – dzieci pojechały, a on przyniósł foldery biur podróży, bo skoro to nasz długo odkładany miesiąc miodowy, to nie będziemy oszczędzać. Pamiętasz, kochanie?

Konrad chciał jej przerwać, ale widziałam, jak Adam stuknął go pod stołem. I żona Konrada ciągnęła:

– Nie mamy łóżka. Prawda, kochanie? Do dzisiaj. A wiecie dlaczego? – powiodła po nas triumfalnym spojrzeniem. – Bo on – wysunęła wskazujący palec oskarżająco i dotknęła prawie piersi Konrada – powiedział, że ważniejsze są wspomnienia niż nowe łóżko. Na podwójne łóżko odkładaliśmy od zeszłego roku, kiedy to stare pękło, i od tego czasu śpimy na materacu joga kupionym jakieś dwanaście lat temu. Prawda, kochanie?

– Ale... – próbował dzielnie Konrad i to było wszystko, co udało mu się wtrącić.

– Materacowi joga wychodzą z jednej strony sprę-
żyny, nigdy bym nie przypuszczała, że tam są spręży-
ny, a z drugiej strony robi się dół. Wyobrażasz sobie,
jak się na tym śpi, prawda? – To było znowu do mnie.

Potaknęłam głową, zerkając na Adaśka. Minę miał
nieodgadnioną. Żona Konrada rozjaśniła się.

– Wypatrzyliśmy bardzo przyjemne łóżko za dwa
tysiące trzysta, niestety bez pojemnika na pościel. Ale
Konrad mówi, prawda, kochanie, że łóżko może poczekać! Foldery fantastyczne! Poczujemy wolność!
Niezależność! Będzie tak, jak kiedyś sobie wymarzy-
liśmy! No i murowana pogoda, na przykład w takim
Egipcie! A lot samolotem? Pierwszy raz w życiu!
Będzie absolutnie odlotowo! Wtedy Egipt miał ofertę
specjalną, do pieniędzy na łóżko dołożyła dwa tysiące
teściowa, choć to chyba jedyny prezent, który nam
zrobiła w życiu, prawda, kochanie?

– Nieprawda! – Konrad był trochę zły na żonę.

Borys wykopał sobie dołek w okolicach płaczącej
wierzby i położył się na nagietkach.

– Ach, jeszcze ten ekspres, pożal się Boże, do
parzenia kawy. Konrad stłukł czajniczek i ekspresu
nie ma do dzisiaj! – Żona Konrada rozłożyła ręce
i roześmiała się głośno. – Masz rację, kochanie.

Popatrzyłam na Adama, on na mnie. Nasz wzrok
spotkał się na pół sekundy i wiedziałam, że nie pojedziemy z nimi na Kretę. Nigdy.

– Zaczęłam chorować już w samolocie, prawda,
kochanie? – ciągnęła Konradowa niestrudzenie.

– Bez szczegółów, pszczółko – Konrad próbował powstrzymać żonę. Bezskutecznie.

– A kiedy wylądowaliśmy, buchnęło gorąco jak z rozgrzanego pieca. W drodze do hotelu zaczepiało nas mnóstwo śniadych dzieci, żebrząc o bakszysz. Dzieci wyglądały na wymizerowane, więc dałam im cukierki.

– No właśnie. Nigdy nie słuchałaś tego, co mówi przewodnik. On wyraźnie powiedział, żeby nie dawać. – Konrad triumfalnie zdołał zmieścić jedno zdanie przed kolejnym potokiem słów. Mój socjolog milczał grzecznie, a ja niegrzecznie, ale chyba się nie spostrzegli.

– No właśnie, kochanie. Dzieci wymizerowane, ale ty im nic nie dawaj. Na to musisz być mężczyzną. Ale ja jestem kobietą, kochanie. – Żona Konrada przeciągnęła się i zatoczyła rękami coś w rodzaju kół w okolicach biustu. A potem się wykrzywiła. – Odtąd towarzyszyły nam przez cały czas. W ogóle nie byliśmy sami. W hotelu wysiadła klimatyzacja, więc nie spaliśmy, bo było gorąco. Mąż postanowił nie słuchać przewodnika, który mówił, żeby nie jeść żadnych surowych owoców. Ale zafundowałeś sobie jabłka włoskie, prawda, kochanie? No i stało się. – Zawiesiła dramatycznie głos. Konrad skulił się za stołem. – Zachorował!

Chciało mi się śmiać głośno, ale nie wypadało. W końcu gość nie świnia, swoje prawa ma – jak mawia Mój Ojciec.

– Następne dwa dni spędził w łóżku, które było co prawda wygodniejsze niż w domu, ale schudł z pięć kilo. Wyłącznie po włoskich jabłkach! Niezrozumiałe. Siedziałam przy nim i dławiłam się z gorąca. Zazdrościłam dzieciom, że są gdzieś w przyjemnym, zielonym kraju, gdzie pada deszcz i można odpocząć, czyli w Polsce. Po dwóch dniach zapakowali nas do autokaru. Jedziemy do Doliny Królów, ucieszyłam się. Trzy autokary turystów i trzy samochody z uzbrojonymi żołnierzami, którzy mieli nas chronić przed terrorystami! Tak wyglądała nasza wolność! Bo jak się okazało, dwa miesiące temu była w Dolinie Królów rzeź turystów, którą przegapiliśmy w dzienniku. Mąż chorował, a ja modliłam się o szczęśliwy powrót do domu. Przy wejściu do Doliny Królów były łazienki, więc Konrad został, bo musiał i...

– Kochanie! – Konrad złapał ją za rękę. – Proszę!

– ...i skutki zjedzenia jabłek były wciąż odczuwalne. Ja rozglądałam się w poszukiwaniu terrorystów z ukrytymi bombami i niewiele w związku z tym mogłam zobaczyć. Po tygodniu byliśmy kompletnie wyczerpani. W cieniu czterdzieści stopni. Deszcze będą za pół roku. To nie jest pora do zwiedzania, powiedział przewodnik, ale cieszę się, że skorzystali państwo z oferty naszej firmy. Wróciliśmy z tej wycieczki po tygodniu. Mąż wziął dodatkowe trzy dni urlopu, żeby odpocząć, prawda, kochanie? A potem okazało się, że twoja matka wcale nam nie dała tych pieniędzy, tylko pożyczyła. A ja wróciłam do pracy i opowiadałam, jaką mieliśmy cudowną podróż poślubną do Egiptu. – Jej głos przycichł na moment, a potem żona Konrada roześmiała się serdecznie. – Ale powiem wam, że zazdrość w oczach koleżanek nieco złagodziła smutną świadomość, iż spędzimy najbliższy rok na materacu joga. I dlatego wcale wam się nie dziwię, że nie jedziecie z nami na Kretę. Przecież tu jest tak pięknie!

Spędziliśmy uroczy wieczór. Uzgodniliśmy, że co prawda na Kretę to oni pojadą sami, ale będziemy się spotykać na brydżu, bo przepadają za niemodnym brydżem, a żona Konrada, zwana przez męża Pszczółką, pożegnała się ze mną bardzo serdecznie.

– Co prawda myślałam, że jesteś ruda, Adam lubi rude. Ale strasznie cię polubiłam. Przyjedź kiedyś do mnie sama, kochanie – powiedziała. – Przy mężczyznach to nie można dojść do głosu, poplotkujemy sobie.

Adam stał za nią i robił do mnie głupie miny. Przewracał oczami i udawał, że mdleje.

*

Dlaczego żona Konrada powiedziała, że myślała, że jestem ruda???

*

Renia jest ruda. Czy powinnam się pofarbować?

*

Dlaczego właściwie Adaśko nie chce jechać ze mną na wakacje? Chociaż z drugiej strony, jeśli się za bardzo wszystko planuje, to nie wychodzi. Pamiętam, jak jeszcze przed ślubem z Tym od Joli *in spe* mieliśmy wszystko dokładnie zaplanowane. Całe wspólne życie z detalami, mieszkanie trzypokojowe (było dwu-), okna na wschód i zachód (były na południe), kanapy zielone (nie znosił kanap, męczyłam się przez lata całe na zydlach), półki na książki sosnowe (kupił białe plastikowe). Ale na poziomie planów zgadzaliśmy się we wszystkim. Aż przyszedł pamiętny czerwiec, Ten od Joli chciał w góry, ja nad morze. Pokłóciliśmy się. Ale potem oprzytomniałam, kompromis jest najlepszą rzeczą w związku, nawet przyszłym (jeśli nie tylko przyszłym), i pomyślałam sobie – ma być cudownie, miejsce nie ma znaczenia, byleby z nim, mogę w góry. Pobiegłam uskrzydlona na kolejną randkę i obwieściłam Temu od Joli późniejszemu, że mogą być góry.

– Jak to? Teraz mi to mówisz? – zdziwił się. – Myślałem, że chcesz nad morze. Zdecyduj się.

– To może na Mazury? – powiedziałam nieśmiało, bo przecież wspólne życie w przyszłości to kompromis.

168

– Mazury? Przecież przed chwilą mówiłaś, że jedziemy w góry.

– Mogą być góry. – powiedziałam.

– Jak to, mogą? – obraził się. – Przecież ja cię do niczego nie zmuszam.

Pokłóciliśmy się. Kupił róże, pogodziliśmy się.

– A co z tym wyjazdem?

– Pojedziemy, gdzie chcesz – wybąkałam, bo byłam młoda i głupia.

– Jak to, gdzie chcę? To ma być wspólna decyzja. Widzę, że nie przemyślałaś sprawy. Gdzie chcesz?

– Chcę nad morze – jęknęłam.

– Nad morze? Przecież uzgodniliśmy, że chcesz na Mazury, ale skoro znowu zmieniasz zdanie...

W czerwcu kupiliśmy namiot. Wyjazd zbliżał się niebezpiecznie.

– To gdzie jedziemy? – spytał późniejszy Ten od Joli. – Mam świetny pomysł, tylko nie wiem, czy nie storpedujesz, bo z tobą się w ogóle nie można umawiać.

– Gdziekolwiek – jęknęłam – byleby z tobą.

Pomyśleć, że tak mówiłam! Należało mi się.

– No właśnie – powiedział. – Tak z tobą jest. A przecież nie może nam być wszystko jedno.

To były bardzo sympatyczne wakacje. Spędziłam je z Elą, którą chłopak też wystawił do wiatru. Pojechałyśmy do Zakopanego i w Dolinie Kościeliskiej spotkałam Bolka, ale potem wróciłam z wakacji i Ten od Joli powiedział mi, że kocha mnie nad życie. I że potrzebny jest kompromis.

Dlaczego ja za niego wyszłam? Nie jest to mądre pytanie i nie znam na nie odpowiedzi. Lepiej, co prawda, mieć jasność co do powodów rozwodu niż ślubu.

Może to lepiej, że pojedziemy z Adamem na urlop później. Kiedy zdarzy się cud i zarobię te cholerne dziesięć tysięcy, i nigdy już nie wezmę się do żadnego szybkiego wzbogacania.

*

Siedzę w domu i męczę się, jak przykazał Naczelny, nad tekstem o mizoginistach i ich partnerkach. Mizoginista to mój Eksio, czyli facet, który nie lubił mnie, czyli nie lubił kobiet. Ale jeśli napiszę ten tekst i zapłacą, to będzie to jedna z korzyści osiągniętych w tym związku, który powinien powoli zapadać w niepamięć, a nie zapada. Właśnie byłam w połowie jednej z kupionych w zeszłym tygodniu książek, i wynikało z niej jasno, że mężczyzna za cholerę nie zaspokoi wszystkich potrzeb kobiety. I że najlepiej jest mieć inne hobby. Hobby spaja związek. I żeby wieczorami sobie o tym porozmawiać, i że to jest budulec przyszłego związku. I kiedy już-już miałam na końcu języka świetny opis naszego małżeństwa jako przykład dręczonej kobiety, wpadła Renka.

– Możesz coś dla mnie zrobić?

– Jasne – powiedziałam, a w pamięci miałam te róże, co mi dała, i to, że Adam lubi rude.

– Nie pograłabyś ze mną w tenisa?

Jak na zamówienie! Owszem, pograłabym z największą przyjemnością. W ten sposób Adam i ja będziemy mieli różne hobby i się sobą nie znudzimy. To znaczy, ja będę grała w tenisa z Renką, a on z Krzysiem. Ula nie gra. I Adam nie będzie się czuł zmuszany do zaspokajania wszystkich moich potrzeb. A poza tym może powinnam zbliżyć się trochę do Renki i czegoś się od niej nauczyć. Nie zapominam, że Renka jest ruda. Skąd żona Konrada o tym wiedziała? Muszę tylko uważać, żeby nie popaść w paranoję. Kontrola nie, ale sprawdzić zawsze warto, na wszelki wypadek.

Renka bierze do ręki pierwszy z brzegu list, który czeka na odpowiedź, i zaczyna czytać. Nie wolno jej czytać listów, nikomu nie wolno, oprócz mnie. Delikatnie przywołuję ją do porządku. Niechętnie oddaje mi różową kartkę.

– Tosia na wakacjach z chłopcem?

Coś podobnego, Renka pyta o Tosię!

– Uhmm – mruczę.

– Nie bałaś się jej samej puszczać?

Bałam się, i owszem, do teraz się boję. Drżę na samą myśl, że...

– Skąd, to dojrzała dziewczyna.

– Nie boisz się, że wróci w ciąży?

Ależ ta Renka musi mnie nie lubić!

– E – macham ręką – są gorsze nieszczęścia.

– Nieszczęścia? Tobie się już całkiem pod sufitem pomieszało. To w ogóle nie jest nieszczęście!

Zatyka mnie. Jak Renka może być taką idiotką? Sama nie ma dzieci i całą złość z tego powodu przelewa na mnie i moją córkę. Jak może mi życzyć, żeby Tosia wróciła w ciąży? Matko moja!

– To przyjadę po ciebie w sobotę. – Renka patrzy na mnie uważnie. – Do zobaczenia.

Ściągnęłam z szafy w sionce swoją rakietę. Nie ma naciągu, bo pękł. Rączka jest nieco wygięta, bo leżała na niej walizka. Jednym słowem, nie mam rakiety. Wyciągnęłam z szafy swoją spódnicę do tenisa. Ostatni raz używaną trzy lata temu. Za ciasna. Znaczy – nie mam stroju do tenisa. Zanurkowałam do szafki z butami i wygrzebałam adidasy. Nie nadają się na kort – wchodziłam w nich w morze cypryjskie, troszkę straciły fason.

W czwartek po pracy biegam po sklepach. Pożyczam rakietę od Mojego Ojca. Kupuję szorty. Przy moich długach szorty nie są idealne. Muszę kupić adidaski, dorzucam również skarpety, a jakże, białe. Wracam do domu i krzyczę radośnie do Adama, że jadę na tenisa w sobotę. Wieczór za to spędzimy razem, kiedy już będę szczuplejsza.

Kort Renka wykupiła dla ułatwienia w Warszawie. Rezerwację mamy od wpół do siódmej. Spotykamy się już o trzeciej, pojedziemy wcześniej, przegryziemy coś na mieście, obiadu nie robię. Zarzucam torbę z nową rakietą, nową spódnicą, nowymi adidaskami i nowymi skarpetkami na ramię. Jakaż to przyjemność zaczynać nowe życie! Będziemy grać w tenisa dwa razy w tygodniu! I będę szczupłą, atrakcyjną kobietą, która nie oczekuje od partnera wszystkiego, bo w tenisa, na przykład, gra z kim innym!

Renka prowadzi mnie do świetnej knajpki chińskiej, położonej co prawda w przeciwnym kierunku niż korty, ale przecież ma samochód. W knajpie chińskiej zamawiamy pyszną wołowinę w sosie słodko-kwaśnym – można jeść, bo przecież zrzucimy to za dwie godziny! Renka mówi o mężczyznach, że czasem z nimi trudno. Pyta, jak mi się układa z Adaśkiem. Pyta o Tego od Joli. Pyta, czy wiedziałam, że Ten od Joli ma romans. Staję się czujna i odpowiadam półgębkiem.

Przy herbatce Renia nieopatrznie patrzy na zegarek. Zostawiamy herbatkę i pędzimy do samochodu. Najpierw nie możemy wyjechać. Pusty parking zrobił się pełny. W Alejach wpadamy w korek. Korek jest długi i szeroki, jak okiem sięgnąć. Renia skręca w boczną – na skróty będzie szybciej. Nie jest szybciej, bo ulica jest zamknięta. Renia próbuje wykręcić i zawrócić, ale to nie łatwe.

– Gdzie jedziesz, kobieto! – krzyczy jakiś facet i to jest na pewno mizoginista. – Tu nie trzeba było wjeżdżać, przecież jest znak, że to ślepa ulica! Każdy kretyn by to zauważył!

Znak, owszem, był, ale upadł i leży. Facetowi się wydaje, że łatwo jest z samochodu zobaczyć znak drogowy, który leży twarzą do ziemi. Facet krzyczy, Renia cofa, wracamy na Aleje. To znaczy, stoimy. Korek ruszył, trudno nam się wpasować w ruch.

173

Ruszamy. Na rondzie Zesłańców Syberyjskich stoimy. Zesłańców nie ma, ale podchodzi dziecko i prosi w obcym języku o datek. Za dzieckiem pan, za panem pani. Siedzimy w zamkniętym samochodzie i czekamy. Lepsze dziecko, pan i pani niż złodzieje, jak na sąsiednim rondzie, którzy wybijają szyby, żeby pobrać torebki z tylnych siedzeń.

Skręcamy. Pech. Ponieważ lato w pełni, to zaczęły się remonty jezdni. Akurat jak my się spieszymy na tenisa, to ktoś musi lać asfalt! Stoimy. Ruszamy. Stoimy. Ruszamy. Po następnym rondzie Renia daje czadu. Zostało nam sześć minut na przejechanie dwóch kilometrów. Po trzydziestu sekundach zaczyna za nami wyć, Renia zwalnia i przytula się do krawężnika. Wycie też zwalnia, bo się okazuje, że wyje na nas. Stajemy. Do Reni podchodzi policjant i puka w szybę. Renia przekonuje policjanta, że nie mamy czasu. Policjant każe nam wjechać na chodnik. Wjeżdżamy. Policjant wyjmuje z kieszeni coś, co wygląda na blankiety mandatów. Pyta, czy wiemy, że jest ograniczenie do pięćdziesięciu. Oczywiście, że wiemy. Cała Polska wie! Zaczynamy jęczeć. Proponujemy policjantowi, żeby pouczył, zamiast wpisywał punkty. Przecież pouczył ministra, który jechał szybko, a gdzie nam tam do szybkości ministra!!! Przekonujemy policjanta przez dalsze dziesięć minut. Policjant daje się przekonać, ale poucza długo, mija dalsze siedemnaście minut. Wreszcie możemy jechać. Bez mandatu. Renia próbuje włączyć się do ruchu. Nie ma szans, sznurek samochodów jedzie i jedzie. Wreszcie rusza. Powoli. Przed kortami zakaz parkowania. Tablica, że wjazd na parking od strony basenów. Renia cofa, korek, stoimy, skręcamy, objeżdżamy. Parkujemy. Około wpół do ósmej porywamy z bagażnika nasze torby i obiegamy budynek basenów. Uprzejmy pan bardzo uprzejmie informuje nas, że korty zajęte, owszem, były zamówione, ale się spóźniłyśmy. Bardzo uprzejmie pobiera od nas opłatę za godzinę niewykorzystanego kortu. Wracamy do samochodu. Jedziemy do nas, na wieś. Jest zupełnie ciemno. Niebieski na mnie czeka, ale Renia bardzo prosi, żebym do niej weszła choć na chwilę. Wejdę oczywiście, niech Niebieski nie myśli, że jestem kompletnie uzależnioną od niego kobietą i nie umiem bez niego żyć. Umiem. Renia zaczyna mi opowiadać o swoim mężu, którego nie ma w domu. Nie bardzo jej słucham, zastanawiam się, co robi Adaśko, i właściwie myślę sobie, że mam szczęście, bo chociaż nie mam męża, to na mnie czeka jakiś mężczyzna, a Renia ma męża i jest sama. Wydaje się dość smutna.

– To co, jak myślisz? Możemy to robić?

– Ale co? – Wyłączyłam się i nie wiem, o co mnie zapytała.

– Przecież ty na pewno masz te wszystkie rzeczy w komputerze.

– Jakie? – pytam.

– No, jaka dieta jest najlepsza. Co robić, żeby wyglądać jakoś... Myślałam, że będziesz chciała ze mną... zawsze we dwie raźniej. – Kiedy nachyla się nade mną, żeby zmienić popielniczkę i dolać bordeaux, czuję zapach mocnych perfum o pysznym zapachu.

– Masz fajne perfumy – mówię. Lekki zapach cynamonu? I nie wiem jeszcze czego.

– Kenzo Jungle Elephant – mówi Renia – nie lubię ich specjalnie. – To co? Tobie by też przydał się zdrowy tryb życia. Adam mówi, że całymi dniami siedzisz przy komputerze i dla siebie w ogóle nie masz czasu.

Tak mówi? Rozsiadam się wygodniej w fotelu. Otóż mam czas dla siebie i wcale nie będę się spieszyć do domu tylko dlatego, że tam jest jakiś mężczyzna. Kiedy Adam miał czas, żeby rozmawiać o mnie z Renią? I dlaczego? Postanawiam, że nie będę gorsza od niej. Oczywiście możemy razem ćwiczyć, biegać czy tam jeść jakieś świństwa, bardzo proszę.

Gadamy do dwunastej w nocy. Rence błyszczą oczy. Może ona naprawdę potrzebuje towarzystwa? Nie czuje się tutaj szczęśliwa. I pewno dlatego tak często jeździ do miasta. My z Ulą przyjaźnimy się od zawsze, a ona jest trochę z boku. I chociaż troszkę mniej waży ode mnie, to nie szkodzi, bo ja się stanę taką laską jak ona. I możemy zacząć od diety. Bo normalny człowiek nie ma szans dojechać na korty. Nieśmiało zwracam uwagę, że przecież korty są również koło nas, trzy kilometry.

– E, daj spokój – mówi Renia – kto tu jeździ na takie zadupie?

No, Adam z Krzysiem. Ale oni grają w tenisa.

Po drugiej butelce wina Renka odprowadza mnie z Azorem do domu, żebym się czuła bezpiecznie. Bezpiecznie! Kiedy Azor idzie obok! Idę na baczność i trzeźwieję z każdym krokiem. Ale Renka musi brać psa, bo będzie się bała wracać. Męża Renki w dalszym ciągu nie ma, pracuje do późna. Chyba przesadza, cieszę się, że nie jestem mężatką i nie muszę czekać na męża, który nie wraca. Piękna noc, a sport to zdrowie i przyjemność. W domu ciemno. Chyba przesadziłam.

Ostrożnie otwieram furtkę, ale Borys zaczyna szczekać. Niestety, nie wejdę tak, żeby nie zauważył, kiedy wróciłam. Adaś staje w progu. Nie wygląda na zadowolonego. I bardzo dobrze. Niech wie, że się od niego nie uzależniłam i mam swoje własne życie.

– Jezu, co się z tobą dzieje? Myślałem, że się coś stało, przecież mówiłaś, że idziesz na tenisa!

I jak mu, cholera, wytłumaczyć, że właśnie wracam z kortów?

Porządki, krzywda i Krzyś

Agnieszka nie pojechała do Białegostoku, tylko na dziesięć dni do Włoch z rodziną i przyjaciółmi. Nie wiem, dlaczego dorośli ludzie, kiedy chcą wypocząć, jadą na wakacje nie dość że z własnym przychówkiem, to jeszcze z cudzym. Czworo dzieci i czworo dorosłych może wykończyć człowieka na miejscu, nie trzeba dodatkowo na to wydawać ciężko zarobionych pieniędzy. W redakcji pustki. Wszyscy na urlopach, nawet Naczelny z dnia na dzień powziął decyzję. Nie muszę się spieszyć z tekstem. Listów mało.

Droga Redakcjo, jak mam się szybko opalić...

Droga Redakcjo, opaliłam się za szybko i z całego ciała schodzi mi skóra, pojawiły się drobne białe plamki, co mam robić...

Droga Redakcjo, chciałabym się opalić przed wyjazdem, żeby nie świecić białym ciałem, podaj mi najlepsze samoopalacze...

Droga Redakcjo, posmarowałam się samoopala-
czem i mam żółte plamy, co robić, żeby zeszły...

Droga Redakcjo, ponieważ nigdzie nie wyjeżdżam,
chcę skorzystać z solarium, ile czasu mogę leżeć na takim
łóżku...

Droga Redakcjo, chodziłam do solarium przez cały
rok i teraz moja skóra wygląda jak cienki pergamin...

Odchylam głowę do tyłu. Boże, jak mnie boli szyja. Nie mogę obrócić głową ani w lewo, ani w prawo.
Ale robię porządnie parę skrętów. Opuścić głowę na
piersi... tuż koło lampy leży różowa kartka papieru.
Podnoszę. Upadł jakiś list, którego nie zauważyłam,
jeszcze z poprzedniej porcji. Ciekawe, kto w tym domu sprząta?

Droga Redakcjo,
proszę mi pomóc. Od dwóch lat leczę się na bezpłod-
ność w klinice matki i dziecka. Już sama nie wiem, co ro-
biłam i gdzie byłam, żeby mi pomogli. Nie tracę nadziei,
że w końcu uda mi się zajść w ciążę. Ale ostatnio pojawił
się problem, z którym nie mogę sobie poradzić. Jak prze-
konać mojego męża, żeby również poddał się badaniom?
On uważa, że wina leży po mojej stronie, i tak pewnie jest.
Ale mój lekarz powiedział, żeby mąż oddał nasienie, a on
nie chce...

Tak, to jest to, czego ja w przyrodzie nie rozumiem. Jak już facet ma jakiś niewielki kompleksik, to
jest on trzysta razy cięższy niż największy kompleks

kobiety. I weź tu zmuś chłopa, żeby się skompromitował badaniem, które może pomóc mu zostać ojcem. Nie ma takiej możliwości, ponieważ zawsze i wszędzie wszystkiemu winne są kobiety. W Afganistanie są karane za to, że stukot ich sandałów spod tych czarnych płacht rozprasza mężczyzn, a u nas są karane zawsze i za wszystko. Niech sobie Adam odpowie na taki list. Zmień faceta, jeśli jego kompleks jest ważniejszy niż ty i twoje zdrowie. Jak pomyślę, co ta kobieta przeżywa i jak bolesne i ciężkie jest leczenie bezpłodności, a taki chłystek nie może sobie zrobić przyjemności do probówki, to mi się nóż w kieszeni otwiera. I boli mnie szyja coraz bardziej.

Położyłam się na moment na kocu w ogrodzie, mój kręgosłup i ja jesteśmy zmęczeni. Prawdę powiedziawszy, marzę o tym, żeby gdzieś wyjechać. Na chwilę choćby oderwać się od domu. Wczoraj dzwoniła Tosia, czy może zostać jeszcze dwa tygodnie, bo jest cudownie, mamuś, naprawdę cudownie. Potem rozmawiał ze mną Jakub, że naprawdę jest cudownie i czy Tosia nie mogłaby zostać, potem oddał słuchawkę babci i babcia powiedziała, że jest absolutnie cudownie i czy Tosia nie mogłaby zostać.

Adam wziął stałe zlecenie w radiu, w czwartki ma w nocy audycję, a we wszystkie inne dni wraca bardzo późno, bo urlopy, jest prawie sam w pracy. Nie bardzo rozumiem, dlaczego się na to zdecydował. Oczywiście, ja mam swoje życie i już tak nie pędzę do domu, ale to przecież w trosce o jego dobro. Na dodatek zepsuł się samochód, podjął na naprawę dwa trzysta z konta, więc pobłogosławiłam po raz kolejny Alę. Kredyt prawie załatwiony, mam dostać odpowiedź z banku w ciągu dwóch tygodni, wtedy jej oddam.

Nie wysiedzę tylu godzin przy komputerze, a przede mną jeszcze dwadzieścia listów. I chciałam skorzystać z okazji, że nikt mi się nie będzie pętał pod nogami, i zrobić porządek w szafach. Zwlokłam się z koca, wypakowałam naszą szafę w sypialni i zrozumiałam, co to znaczy mężczyzna w domu. Bo chyba zapomniałam. Adam ma przydzielone trzy szuflady, tyle samo ile ja. W jednej ma mieć podkoszulki, skarpety i gatki, w drugiej bluzy i koszule, w trzeciej spodnie. I okazało się, że mój Niebieski nie odróżnia spodni od wiertarki (leżała na samym dnie), a bluzy od gatek. Zrobiłam mu miejsce w kuchni na wiertarki i pudełko śrub, a rzeczy z kuchni – prodiż i duże gary – przeniosłam do szafy w sionce. Posunęłam się nawet do tego, że zryłam cały dom w poszukiwaniu różnych ważnych przyrządów do wiercenia, wbijania, wyciągania, wyginania, odginania, cięcia, klejenia i zniosłam je na miejsce. Na przykład w łazience na dolnej półeczce były śrubokręty i obcęgi różnego rodzaju. W szopie słoiczki z nakrętkami, nie wiadomo do czego służącymi. Klucz francuski leżał w szufladzie ze sztućcami. Pod zlewem znalazłam jakieś brudne szmaty, które natychmiast wywaliłam, i jakąś starą czarną taśmę. Wtedy odkryłam, że ze zlewu jednak cieknie, nic dziwnego, że woda nie spływa tak dobrze, jak kiedyś. Nic nie wkładałam do szafki pod ten zlew. Adam będzie miał dobre dojście do rury, bo to tak dłużej nie może być. Wyrzuciłam jakieś badziewie, kawałki złączek, jakieś powyginane coś, niepotrzebne śrubki i kawałki otuliny do rur.

W szufladzie Adama znalazłam dwanaście małych srebrnych śrubeczek i przełożyłam je do słoika z różnymi innymi śrubeczkami.

Kiedy Adam stanął w drzwiach, byłam z siebie bardzo dumna. Co prawda, w kuchni był bałagan, bo te rzeczy z szafki pod zlewem leżały na razie na środku kuchni. Nigdy nie przypuszczałam, że szafka pod zlewem jest tak pojemna. Z dumą pokazałam Adamowi porządek. Był blady.

– Coś wyrzuciłaś? – zapytał głosem tak spokojnym, aż mi dreszcz przeszedł po krzyżu.

– Tylko niepotrzebne rzeczy – wyjaśniłam spokojnie i dumnie.

Rzucił torbę i pobiegł do pokoju. Otworzył biurko i spojrzał na mnie tak, jakby mnie widział po raz pierwszy w życiu.

– Tu były takie małe śrubki, co z tym zrobiłaś?

No wiecie, ludzie! Człowiek chce raz się przydać, robi porządek, i zamiast spodziewanej pochwały spotykają go same nieprzyjemne pytania.

– Włożyłam do śrubek, są w słoiczku w kuchni, w pierwszej szafce po prawej stronie.

Adam rzucił się do kuchni i zbladł jeszcze bardziej.

– To były śrubki od stacji dysków.

Po czym wyniósł swój słoiczek ze śrubkami do pokoju i wysypał je na podłogę.

– Muszę znaleźć – powiedział przez ramię – muszę je natychmiast znaleźć.

Śrubek było tysiąc albo i więcej. Te malutkie srebrniutkie zupełnie się gdzieś w tym bałaganie zagubiły. Adam klęknął i pieczołowicie oddzielał jedne od drugich.

Nie muszę brać udziału w męskich robotach.

– To może ja pójdę do Uli? – powiedziałam. – Czy najpierw chcesz coś zjeść?

– Nie, muszę najpierw zrobić porządek – powiedział Adam, w ogóle na mnie nie patrząc, z nosem przy podłodze.

Poczułam się urażona. To ja cały dzień sprzątam, żeby nam się milej mieszkało, a on dobrego słowa mi żałuje.

Ula i Krzyś prasowali zdjęcia. Też dobre zajęcie, choć nigdy w życiu nie wpadłoby mi do głowy, żeby prasować zdjęcia. Ale cóż, ja w ogóle nie lubię prasować. Ula posadziła mnie przy stole i podała herbatę miętową.

– Wy tak, przepraszam, często odświeżacie zdjęcia? – starałam się, żeby ton mojego głosu nie był zbyt uszczypliwy.

– Nie, tylko w środy i w piątki – powiedział Krzyś.

– Ty tego nigdy nie robisz?

– Oddaję do magla – warknęłam.

– Oj, Jutka – Ula trąciła Krzysia łokciem w bok – pralka nam wylała i zamoczyła pudła, to musimy je teraz wyprasować, bo się pogięły. Zobacz, jaka tu byłam szczupła – wyciągnęła do mnie rękę.

Rozprostowałam rulonik i spojrzałam na biało--czarną fotografię. Ula i Krzyś dwadzieścia lat temu, kiedy ich jeszcze nie znałam. On obejmuje ją wpół, a ona patrzy w niego jak w obraz. Rzeczywiście jest szczuplejsza, i co z tego? Patrzę na to zdjęcie i robi mi się smutno. Czas tak szybko biegnie, a poza tym ja nie mam z Adamem żadnego zdjęcia sprzed dwudziestu lat. Przeszłość nie należy do nas. I bardzo dobrze. Lepiej mieć wspaniałą przyszłość niż wspaniałą przeszłość. Rozglądam się po pokoju Uli. Na dywanie zwinięte ruloniki, pod fortepianem zwinięte ruloniki, koło posłania Daszy pudełko z brzydkimi zaciekami.

– Mogę wam pomóc – powiedziałam – choć cały dzień spędziłam na porządkach. Posprzątałam Adamowi w narzędziach, ale...

– O Boże! – Krzysztof zamarł nad stołem. – Co mu zrobiłaś?

– Porządek! – warknęłam.

– I co on teraz robi? – Krzysztof w dalszym ciągu wpatrywał się we mnie uważnie i wrogo, jakbym mu zabiła rodzinę. Nigdy tak na mnie nie patrzył.

– Szuka śrubek.

– To ja lecę do niego – Krzyś podał mi żelazko.

– A po co? – Ula chwyciła go za ramię.

– Pomoże mi odkręcić pokrywę zaworów – powiedział Krzyś, rzucił mi spojrzenie bardzo pełne przygany i zniknął na tarasie.

Westchnęłam ciężko. Tak, tak, życie nie jest lekkie. Zrób tu coś dla kogoś, to potem potraktują cię jak nie wiadomo co.

– Masz – Ula podała mi kolejne zdjęcia. – Tylko uważnie, przez ściereczkę. Wiesz co, Jutka?

– No? – zapytałam inteligentnie, machając żelazkiem. – My jesteśmy już dwadzieścia lat razem, ale nigdy bym się nie odważyła zrobić porządków w jego narzędziach.

– Nawet gdyby leżały w twojej własnej szafie w sypialni, tam gdzie powinny leżeć spodnie?

– Tym bardziej. Mężczyźni są jak dzieci. Zrobisz im porządek i potem nic nie mogą znaleźć. – Ula westchnęła. – I widzisz, mój poleciał, bo Adamowi się krzywda stała. Przełożyłaś mu wiertarkę Bóg wie gdzie. Męska solidarność.

– Nie Bóg wie gdzie, tylko do kuchni. – Prasowałam zdjęcia zawzięcie.

– Zrobił ci awanturę? – Ula była życzliwa.

– No coś ty!

Aż żelazko zamarło mi w powietrzu. Adam? Awanturę? O co? Ula patrzyła na mnie i uśmiechała się z zadumą.

– O rany... jak on cię musi kochać. – W jej głosie zadrżało wzruszenie.

Skończyłyśmy ze zdjęciami przed wieczorem. Upiekłyśmy ziemniaki i zadzwoniłyśmy po mężczyzn. Krzyś przyszedł pierwszy i idąc do łazienki, szepnął do mnie:

– Kobieto, na drugi raz skonsultuj takie posunięcia z przyjacielem, bo możesz mieć kłopoty...

Adam przyszedł zaraz po nim, z Potemkiem na ramionach. Potem, malutki czarny koteczek, nie jest już wcale malutki, ale jeśli jest w pobliżu domu, zachowuje się jak małe dziecko, siedzi na człowieku i na przykład liże cię w policzek. Na ogół szlaja się gdzieś po sąsiednich polach, Ula mówiła, że widziała go nawet za torami, może dlatego, jak już raz na parę dni przyjdzie do domu, to strasznie nas kocha. Od kiedy Tosia wyjechała, był w domu tylko trzy razy.

Postanowiłam być dorosła i podeszłam do Adama.

– Wiesz, że chciałam dobrze...

– O matko, kobieto, jakbym tego nie wiedział, tobyś już nie żyła – Adam klepnął mnie w plecy. – A co zrobiłaś z dodatkowym kolankiem?

Spojrzałam na swoje nogi. Oba były na swoim miejscu.

– Nie mam dodatkowego kolanka – powiedziałam z pretensją.

– Taki zgięty kawałek rury – Adam patrzył na mnie uważnie.

– Nic tam takiego nie było – powiedziałam, kłamiąc mu w żywe oczy.

– Krzychu, masz kolanko? – zawołał Adam w stronę Krzysia.

– Chyba jest w garażu, zjemy coś i poszukamy! – odkrzyknął Krzyś. – Pomożesz mi potem przykręcić pokrywę zaworów.

Adam się rozjaśnił.

Krzyś ma dobry charakter. Zawsze podnosi mnie na duchu świadomość, że są na świecie tacy mężczyźni jak Krzyś. Ich dobry charakter objawia się na różne sposoby. Krzyś na przykład bardzo okazyjnie kupił sobie drugi samochód – bedforda. Dał za niego trzy tysiące, samochód ma dwadzieścia lat i jest angielski. Z posiadania takiego samochodu wynikają dla Uli same dobre rzeczy.

Samochód, o którym piszę, kupiony okazyjnie, ma wady. Taką wadą na przykład są strasznie ważne śrubki od pokrywy zaworów. (Nie wiem, co to znaczy, ale jak ładnie brzmi!) Te bardzo ważne śrubki są nie do kupienia w naszym pięknym kraju. A oto, co się działo z Krzysiem i samochodem:

Odkręcił już miesiąc temu tę pokrywę zaworów, delikatnie, jedna śrubka, druga śrubka, trzecia śrubka, a czwarta się złamała. Wiertło włożone w śrubkę, żeby ją wyjąć, złamało się również. Krzyś musiał pilnie dorobić śrubkę, ale ponieważ ona jest nie do podrobienia, odnowił wszystkie swoje stosunki z hobbystami – od kolegów ze szkoły podstawowej poczynając, a na kolegach ze studiów kończąc.

Szkoły średnie zmieniał w młodości trzy razy, więc kolegów ma dużo i z każdym z nich umawiał się na piwo w sprawie śrubki. Dobrze, że nie został alkoholikiem, miał spore szanse. Ale w końcu człowieka, który remontuje okazyjny samochód angielski, nie bardzo stać na piwo. Śrubka została załatwiona i teraz trzeba ją tylko przykręcić.

I kiedy my, kobiety, próbujemy cieszyć się ciepłym wieczorem, Krzyś i Adam w ekspresowym tempie pochłaniają ziemniaczki z koperkiem, Krzyś wyjmuje z lodówki dwa piwa i obydwaj wstają od stołu jak na komendę. Myjemy z Ulą naczynia. Przyjeżdża z Warszawy córka Uli, Agata, która dopiero pojutrze jedzie na Mazury ze znajomymi (całą paczką oczywiście), ja wycieram talerze, Agatka dłubie w garnku z ziemniakami.

— Ale ty puściłaś Tosię na cały miesiąc — mówi do mnie z nadzieją.

— Agata, dwa tygodnie, nie stać nas na więcej — Ula nastawia wodę na herbatę.

— No tak — przytakuję, bo to prawda — ale ona jest u znajomych, nie płaci za pokój.

— Drogie dziecko — mówi Ula, i już-już chcę jej dać znak, że nie mówi się do panny nastoletniej „moje dziecko", ale milczę — jeśli utrzymasz się za te pięć stów do końca sierpnia, to jedź na dłużej. Ale liczyć na więcej nie możesz.

Agata z westchnieniem wypija resztkę kwaśnego mleka.

– No widzisz – mówi do mnie – dwa samochody, a ja na wakacje dostaję pięćset złotych. I tylko dlatego, że przez rok odłożyłam osiemset, mam na wyjazd. A Iśka w ogóle nie pracowała, nie miała własnych pieniędzy i pojechała na trzytygodniowy obóz żeglarski, który kosztował trzy razy więcej. To nie jest sprawiedliwe.

– Agatko, wiesz przecie, że za obóz Isi zapłaciliśmy tylko tyle, ile kosztuje jedzenie, bo znajomy taty jest tam instruktorem.

– No tak – Agata jest zgodna – ale gdyby to nie był znajomy taty, to zapłacilibyście przynajmniej tysiąc pięćset, a mnie dajecie pięćset.

– Gdyby to nie był znajomy taty, to Isia w ogóle by nie pojechała na ten obóz.

– Naprawdę?

Myślałam, że Agata jest z tego zadowolona, ale myliłam się.

– Czyli siedziałabyś w domu? Po całym roku szkolnym? Chociaż mamy dom i dwa samochody! Jesteście bardzo dla niej niesprawiedliwi – mówi, przeżuwając ostatni kawałek ziemniaka. – Idę do swojego pokoju. Jeśli będzie dzwonił Damian, to powiedz, że mnie nie ma.

– Agatka! – Ula zalewa herbatę wrzątkiem. – Agata, nie będę kłamać!

– Ojej, mamo – dobiega zza drzwi – to wcale nie jest kłamstwo!

Ula wzdycha i bierze tackę z herbatą. Idziemy na taras. Jest już ciemno, ale przy bedfordzie pali się lampa wyniesiona z salonu. Rzuca krąg światła na Krzysia, który leży na ziemi i coś majstruje pod bedfordem, na Adama, który leży koło niego, oświetla ziemię pod samochodem oraz część trawnika z rododendronem. Wygląda to bardzo malowniczo.

Śrubka do pokrywy zaworów ma specjalną podkładkę i właśnie ta podkładka spadła „na wylot" w trawę. Bo jak pokrywa jest odsunięta, to pod silnikiem widać ziemię. Samochód ma niskie zawieszenie, przestawić nie można, a znaleźć śrubkę w trawie to sztuka. Byle kobieta załamałaby się zupełnie, gdyby ważna śrubka od pokrywy zaworów spadła jej w trawę, wiem to na pewno. Ale oni się nie załamali, co miałyśmy okazję widzieć na własne oczy. Krzyś podniósł się, wyjął z garażu saperkę, Adam zdjął klosz z lampy i wziął jakieś sito. Obaj pracowali w zupełnym milczeniu, a myśmy przyglądały się im, zafascynowane. Słychać było tylko krótkie komendy spod samochodu:

– Piwo!

– Uważaj!

– Podaję ziemię!

– Uważaj na piwo!

Krzyś pod spodem robił delikatny podkop, a Adam pieczołowicie grzebał w ziemi, żeby nie przeoczyć podkładki od bardzo ważnej śruby. I już koło jedenastej wieczorem w upalną noc lipcową rozległo się radosne:

– Jest! – i Krzyś wyczołgał się spod samochodu okazyjnie kupionego, z podkładką w ręku.

Tu mi zaimponował. Adam zresztą też. Ale najbardziej zaimponowała mi Ula, która rozjaśniła się na widok podkładki, podbiegła do nich i ucałowała Krzysia. Potem wróciła do mnie i mrugnęła.

Oj, widzę, że muszę się jeszcze wielu rzeczy nauczyć. Nachyliłam się w stronę Uli i cicho spytałam:

– A tak między nami, nie drażni cię to czasem, że Krzyś ciągle dłubie przy tym samochodzie?

Ula spojrzała na mnie i w jej niebieskich oczach mignęły radosne iskierki. Również szeptem odpowiedziała:

– Ostatecznie lepiej, jeśli mężczyzna dłubie przy samochodzie niż przy innych kobietach.

I wtedy zrozumiałam, dlaczego się tak strasznie ucieszyła, że on tę podkładkę za pomocą wykopu znalazł. Postanowiła również to uczcić. Uczciliśmy to wódką Fiddler, która ma to do siebie, że gra arię-song *Gdybym był bogaty*, co nas już po trzecim drinku bardzo, ale to bardzo śmieszyło. Z otwartego okna Agaty tylko raz dobiegł głośny krzyk:

– Uspokójcie się, spać nie można!

Lampa do późna w nocy rozświetlała część ogrodu, podkop pod samochodem i nas radośnie świętujących podkładkę pod strasznie ważną śrubkę od pokrywy zaworów.

Tak jest właśnie z Krzysiem i Ulą.

A jak Doktor Martens – to czarny kot Uli – zabił srokę i sroka leżała już drugi dzień pod dębem, bo przecież do tego, żeby ją pochować, trzeba męskiej ręki, to Krzyś wziął saperkę i się oddalił. A potem krzyknął:

– Kochanie, już zakopałem ci tę zdechłą srokę!

Na co Ula krzyknęła:

– Bardzo była zdechła?

– Bardzo! – odkrzyknął, co wiąże się z jego wyjątkowo dobrym charakterem, bo niechbym ja Tego od Joli próbowała zapytać, czy coś było bardzo zdechłe, to już by mi powiedział, jaką jestem idiotką. Dlatego w ogóle już nie kocham Tego od Joli, tylko Niebieskiego. To był bardzo pożyteczny wieczór. Warto było posprzątać w domu.

Precz z kompleksami

Hurra! Wyjeżdżamy z Ulą na parę dni do Wrony! Mężczyźni pobędą sobie sami i sami poopiekują się zwierzostanem, a my z Ulą trochę sobie odmienimy. To był pomysł Adaśka. Powiedziałam mu, że odpoczywam przecież w domu, ale rzeczywiście jest lato, jestem blada, jakbym mieszkała w suterenie, a od komputera boli mnie głowa. Kochany jest, bo pomyślał o mnie, a ja rzeczywiście padam na twarz ze zmęczenia. Wczoraj skończyłam pracę o drugiej w nocy. Niech ktoś powie, że mi zazdrości nienormowanego czasu pracy!

Przerzucam szafę w poszukiwaniu kostiumu, bo nareszcie będę się mogła poopalać bez kompleksów. Nowa Wrona ma to do siebie, że jest prawdziwą wsią. Nasi przyjaciele mają siedem hektarów pól, z czego na pół hektarze rośnie stary sad, stoi stara chałupa, w której nie ma łazienki, wygódka na zewnątrz, która zresztą przeważnie ma otwarte drzwi, bo wychodzą na sad i bardzo przyjemnie spędza się tam czas. Nieopodal jest jezioro, w którym można sobie popływać, i Krzyś nas tam jutro na tych parę dni wywozi. Zamiast na Kretę. Adam pracuje. Nie wiem, dlaczego ma teraz więcej pracy niż zwykle.

Właśnie próbowałam znaleźć kostium – od czasu słynnych porządków nic nie mogę znaleźć – kiedy przyszła Renia.

– Miałyśmy przecież razem dbać o siebie – powiedziała. – Ja codziennie robię przez pół godziny gimnastykę, a mimo to... Wiesz, mężczyźni lubią atrakcyjne kobiety.

Tego to ona mi akurat mówić nie musi. Przecież wiem, dlaczego Ten od Joli poszedł do Joli. Cóż, niestety nie dlatego, że miała trwałe ślady po ospie, była szpetna, głupia i gruba. Niestety. Na tyle dobrego charakteru nie miał, żeby patrzeć wyłącznie na przymioty ducha, a ciało było mu obojętne. Mój Eksio miał brzydki charakter i zwracał uwagę na zewnętrze również. Co Rence natychmiast powiedziałam.

– Wpadnę tu zobaczyć, jak się wasi mężowie będą sprawować – powiedziała Renia, wydmuchując kłęby dymu. – Mężczyzny nie należy spuszczać z oka.

Tu się zaniepokoiłam. Nie po to wyjeżdżam na parę dni, żeby jakaś atrakcyjna ruda dama pilnowała mojego mężczyzny. Renia musiała zauważyć niepokój w moich oczach, bo dodała uspokajająco:

– Wiesz, jak będzie chciał cię zdradzić, to zrobi to wszędzie, tak że się nie zorientujesz.

Rzeczywiście natychmiast powinnam się uspokoić. Przed oczami przewędrował mi Eksio z wózeczkiem, przy atrakcyjnej Joli. Niezwykły balsam na moją, wydawałoby się, uleczoną duszę. Przytaknęłam jej jednak ochoczo.

— A co napisałaś o tych plemnikach?

Pytanie Renki zaskoczyło mnie w stopniu najwyższym.

— Jakich plemnikach?

— No, co babka chce, żeby mąż zrobił badania, a on nie chce.

Ten list, który czytała! To ona go zrzuciła pod stolik!

— Renka, nie czytaj listów. Ludzie naprawdę mają problemy, to nie jest śmieszne. Adam powiedział, że powinna pogadać z jakimś jego przyjacielem, mężczyzną, i on mu powinien wytłumaczyć... a w ogóle to dlaczego pytasz?

Renka zrobiła się czerwona.

— Bo mnie denerwuje, że każda kobieta musi mieć dziecko, musi się spełniać jako matka, musi...

— Nie każda — zaprzeczyłam. — Ale tamta akurat chciała. I będzie o to walczyć. I jej prawo.

Głos musiałam mieć nieprzyjemny, bo Renka nagle zmieniła temat.

— Adam podobno pracuje w radiu?

— Owszem, ma dwie noce w tygodniu. Fajna audycja, dzwonią ludzie, a on z nimi rozmawia. Taki telefon zaufania.

— Nie boisz się, że nie wraca na noc?

Dotychczas nie przyszło mi do głowy bać się. Ale teraz, pochylona nad stertą bluzek, przeważnie Tosi, nie wiem, skąd one się wzięły w mojej szafie, podniosłam głowę.

— Dlaczego mam się niepokoić?

— Wiesz, jak facet szuka sobie zajęć poza domem... — Renia nie była w dobrym nastroju.

— Zwariowałaś? — oburzyłam się. — Facet na ogół pracuje poza domem. Chyba, że jest... — gorączkowo szukałam zawodu, który wykonuje się w domu. — Konduktor, pilot, strażak, policjant, lekarz, kominiarz — wymieniałam jednym tchem — pracują poza domem.

— A o czym on te audycje robi? — zapytała zdawkowo Renia i zgasiła papierosa w doniczce z fikusem.

— O wszystkim. Mieli na etacie psychologa, ale zrezygnował, bo to żadne pieniądze. A ludzie potrzebują czasem pomocy i nie chcą się zwracać do profesjonalisty. Łatwiej jest zadzwonić. Wtedy jesteś tylko anonimowym głosem, a nie osobą.

— Każdy tam może zadzwonić?

— Każdy.

— Ja też?

— No przecież mówię, że każdy — zdenerwowałam się, bo niby dlaczego Renia chce dzwonić do Adama.

— Aha — Renia pokiwała głową i odwróciła się już w drzwiach, gotowa do wyjścia. — Powinnaś schudnąć, ja zresztą też. Wyjeżdżamy z Arturem nad morze, na parę dni.

Zostałam przy otwartej szafie i niepokój gęstymi mackami obejmował mnie niby pająk. Może nie powinnam jechać? A właściwie dlaczego mam jechać i zostawiać Adama samego? Dlaczego Renia nie zajmie się swoim mężem, tylko chce się opiekować cudzym? Bo to nie jest mąż, tylko wolny człowiek, który przypadkiem ze mną mieszka. Nie musi się ze mną liczyć. Kto powiedział, że Adamowi podobają się rude kobiety? I dlaczego to powiedział? O, w ogóle mi się ten pomysł wyjazdu do Nowej Wrony przestaje podobać. Chociaż z drugiej strony, czy zorientowałam się wcześniej, jak jeszcze byłam żoną Eksia, że ma oko na jakąś Jolę? Nie. Choć powinnam się była domyślić, bo jak mąż jest zbyt miły, to znaczy, że ma jakąś babę. Czasami jest niemiły. Adam jest dla mnie miły. Czy to znaczy, że coś kombinuje? Ale przecież nie jest moim mężem, to może być miły bez powodu. Dlaczego Renia wypytywała tak dokładnie o Adama i jego nocne audycje? Nigdzie nie pojadę. Ale przecież ona nie może zajmować się Adamem, bo jedzie nad morze ze swoim mężem. Przestaje mi się to wszystko podobać. Dlaczego mam schudnąć? Dlaczego ona ma kompleksy, skoro jest szczuplejsza ode mnie? A może Renka chce mi uświadomić, że jeśli niczego w sobie nie zmienię, to Adam odejdzie?

*

Luz całkowity. Żadnych myśli o pieniądzach, szefach, długach i oszustach. Z nieba leje się żar, ten sam, który w mieście jest obrzydliwy. Brzęczy w powietrzu, bo uwijają się różne zwierzątka latające. Przecież u nas też się uwijają, ale jakby mniej i ciszej. Może dlatego, że nie mamy uli. W sadzie hamak i jeśli tylko uważa się na brzęczące, to można skorzystać. W piwnicy ziemnej kwaśne mleko bez prionów. Mleko można kroić nożem i albo jeść, albo okładać skórę, jak by się kto opalił.

Droga Redakcjo,

podobno domowy sposób na poparzenia skóry to obkładać kwaśnym mlekiem, ale ja w to nie wierzę ani moja koleżanka, bo ona się ze mnie śmieje, co mam robić...

Opalać się nie mogłam, bo przecież się nie obnażę, choć miałam taki plan. Co prawda Adam i Krzyś zostali w domu, bo ktoś musi pracować, ale Gospodarz śledzi mnie, ani chybi. Przyniósł przed chwilą kompot z późnych wiśni i zapytał, dlaczego się opalam w ubraniu. Mężczyźni nie przestaną mnie zadziwiać. Jak my się mamy rozebrać – ja i moja nadwaga?

Wieczorem pogryzły nas komary i było cudownie. Dlaczego Adaśka z nami nie ma? Właściwie to czuję się samotna. Poza tym co on robi? Ten od Joli też wyjeżdżał. I proszę, jak to się skończyło. Nie mogę zasnąć.

,,Jeśli nie możesz przeżyć spokojnie jednego dnia bez twojego partnera..."

Następnego dnia przyjechała przyjaciółka Gospodarzy ze Szwecji. Z mężem Polakiem i trójką drobiazgu. Trójka drobiazgu natychmiast zniknęła z pola widzenia, wybiegając albo w las, albo do stodoły, albo w pola – nie zdążyłam zanotować, tak to się szybko odbyło. Szwedka uśmiechnęła się bosko, przywitała ze wszystkimi i zniknęła w domu. Po chwili pojawiła się rozebrana. To znaczy w kostiumie i na to chustka czy coś takiego. W ręku miała dwa noże i wiaderko ziemniaków. Podeszła do mnie i zapytała, czy obierzemy. Obierzemy z przyjemnością! Nie znam nic przyjemniejszego niż obieranie sześciu kilogramów ziemniaków w sadzie. Kiedy ziemniaczki wesoło bulgotały na ogniu, już byłam oczarowana Szwedką. Co za urocza kobieta! Co za wdzięk! Co za czar! Co za dowcip! Jaka śliczna!

Trójka drobiazgu pojawiała się raz na jakiś czas, świergoliła coś jak małe stadko ptaszków i odfruwała w lasy i pola.

Hamak osamotniał, bo udałyśmy się z koszami i drabiną na jabłonki i narwałyśmy jabłek, bo wczesne, a Gospodarze je sprzedają na targu. Będą przynajmniej mieli z nas jakiś pożytek. Potem ułożyłyśmy część drewna, które rąbał Gospodarz. Potem wyszorowałyśmy ganek oraz stół drewniany, bo przecież nie można dopuścić, żeby Gospodyni z powodu gości się zaharowała na śmierć.

Wieczorem, a jakże, nadjadły nas komary przy ognisku, w którym piekliśmy kiełbaski i chleb. W południe następnego dnia zrzuciłam dżinsy i ubrałam się w kostium. Drobiazg Szwedki pojechał z Gospodarzami na targ sprzedawać jabłka, zostałyśmy, trzy kobiety, same. Szwedka opowiadała, jak jest w Szwecji i jaki to mąż jest cudowny, a dzieci jakie wspaniałe, ale że się bardzo cieszy, bo my też naprawdę jesteśmy ekstra. Słowem – kiedy żar lał się z nieba, poszłyśmy rwać wiśnie i czereśnie, bo zmarnieją, szpaków rano była chmara. Rwałyśmy przy opowieściach Szwedki, która raz po raz śmiała się i naprawdę w powietrzu aż dzwoniło. Patrzyłam na Szwedkę i nie mogłam się nadziwić, jak ona to wszystko robi, że świat pięknieje wokół. Nic dziwnego, że i ja wyprzystojniałam.

Po trzech dniach byłyśmy zaprzyjaźnione na wieki, a ja z Ulą zaproszone do Szwecji, jak tylko będziemy miały czas, ochotę, i w ogóle. I pomyśleć, że Tosia jest w Szwecji na rowerze!

Czwartego dnia przyjechał Adam, bo się stęsknił. Tylko na weekend, trochę sobie odpocznie. Poprosił Moją Mamę, żeby popilnowała Borysa i kotów. Mama powiedziała, że chętnie odpocznie na wsi. Może Ojciec też przyjedzie, bo on też chętnie by odpoczął na wsi. Adam już po półgodzinie oczu nie mógł oderwać od Szwedki, śmiał się razem z nią, jakby znali się od stu lat, i gdyby nie to, że mąż Szwedki był dla Szwedki uroczy, toby mnie skręciło. Ale drobiazg w postaci dwóch chłopców i jednej dziewczynki również ubezpieczał Szwedkę, a Adam powiedział do mnie:

– Spaliłaś sobie nos. – I wierzcie mi, było w tym sporo czułości.

Adam chciał trochę wypocząć, ale rano musieliśmy natychmiast wstać i zrobić coś z resztą porąbanego drewna, bo okazało się, że może padać. Adaśko z Gospodarzem nerwowo budowali coś na kształt wiaty, a my ze Szwedką i Ulą przerzucałyśmy siano do stodoły, żeby nie zamokło. O czwartej po południu zaczęło kropić – wiata była gotowa, a siano w stodole. Nie czułam rąk, kręgosłupa i nóg. Zjedliśmy obiadek i wymyłam dziesięć głębokich talerzy, dziesięć płytkich, szesnaście kubków po kwaśnym mleku, sześć garnków, dwie patelnie, całe mnóstwo sztućców i zamiotłam podłogę w kuchni. Na odpoczynek trzeba zasłużyć. O szóstej po południu przyjechał sąsiad Gospodarzy z wiadomością, że mu się krowa cieli i czy ktoś pomoże. Pojechałam z Gospodarzem, bo zawsze to coś ciekawego. Krowa ocieliła się o czwartej nad ranem. Pomagałam cielątku wstać. Co za wspaniałe wydarzenie!

Wracaliśmy bladym świtem przez łąki, rosa iskrzyła na trawie i czułam, że żyję. Po dwóch godzinach snu zostałam brutalnie obudzona, bo przecież idziemy na grzyby. Gospodyni przypomniała, że chciałam iść na kurki. Do jajecznicy na śniadanie, bo nie ma jak jajecznica na kurkach, Niebieski przepada za jajecznicą na kurkach. No cóż, każdy związek ma swoje wady.

Ponieważ Szwedka rozjaśniła swoim uśmiechem cały dom i krzyknęła: – *Wonderful, mushrooms!* – zwlokłam się i ja, żeby nie tracić tak miłego poranka.

Kurki to są małe żółte grzybki, których nie było. Wróciłyśmy w porze obiadowej, bo Szwedka chciała zobaczyć, co jest za lasem brzozowym. Za lasem brzozowym był sosnowy. Też chciała zobaczyć, co jest za nim. I tak dalej, i tak dalej. Wróciłyśmy koło drugiej. Drobiazg bawił się z psami, które na ogół są groźne. Szwedka pogoniła dzieci do stołu, jej mąż rozjaśnił się na jej widok jak słoneczko i poczułam niczym nieuzasadnioną zazdrość, że Niebieski też mógłby się rozjaśnić, skoro pomagałam przyjść na świat cielęciu, byłam na grzybach i wróciłam cało.

W południe postanowiliśmy trochę odpocząć i wyleźliśmy na słońce, Szwedka w kostiumie, drobiazg w strojach niewiadomych, bo zniknął, ja oczywiście w sukience długiej, choć hinduskiej. Gospodarz postawił przed nami dwie skrzynki groszku zielonego do łuskania, bo przecież nie będziemy siedzieć bezczynnie.

– Czemu się tak ubrałaś? – spytał Adaśko, świecąc gołym, choć lekko opalonym przy koszeniu trawy torsem.

– Przecież przy Szwedce nie będę się rozbierać, i tak widzę, że od niej oczu nie możesz oderwać – jęknęłam z zazdrością.

– Przecież ona jest dwa razy taka jak ty – zdumiał się Adaśko i spojrzał na mnie krytycznie – i widzisz, w ogóle nie robi z tego problemu. To właśnie jest w niej najładniejsze.

Spojrzałam na Szwedkę. I zobaczyłam to, czego nie widziałam, pracując ciężko przez ostatnie dni. Ona była naprawdę gruba! I co za czar, co za wdzięk! Jaka była śliczna! Pocałowałam z wrażenia Niebieskiego i wskoczyłam w kostium. Kompleksy niszczą mi radość życia. Wszystko przez Renkę! To ona ma kompleksy, mimo że jest piękna i ruda, a ja jak zakompleksiona uczennica zarażam się tym, nawet jeśli jestem sto kilometrów od niej! Poza tym to nie figura jest ważna, tylko charakter! A charakter na pewno ja mam lepszy. I w ogóle nie jestem uzależniona od mężczyzny!

*

Wróciliśmy do domu w świetnych humorach. Co prawda raz, wieczorem, byłam o krok od opowiedzenia Adamowi o tym, jak narozrabiałam, ale powstrzymałam się. Teraz mam siły do pracy. Od jutra.

Zaczęło lać, otworzyłam szeroko okna, pięknie jest, jak tak leje i leje po upalnych dniach, słychać, jak ziemia pije wodę, korzonki na pewno ruszają się w ziemi i otwierają buzie, świat zaczyna być bardziej przejrzysty, uwielbiam letnie deszcze. Umyłam dwa kilo czereśni i zasiadłam przed telewizorem. Wtedy niespodziewanie zadzwoniła Renia.

– Jesteś już? – jęknęło mi w ucho.

– O, Renia! – ucieszyłam się. – Jesteś już?

– No właśnie. Wróciliśmy wcześniej – dodała po chwili.

– To wspaniale – krzyknęłam nieopatrznie. – Spotkamy się! Cudownie odpoczęłam na wsi!

W słuchawce milczało. Zorientowałam się, że coś było nie tak.

– Jak twój urlop? – spytałam po chwili.

– Beznadziejnie.

Domyśliłam się. Ona po prostu gdzieś tam nad tym morzem nie spotkała pięknej, grubej osoby. Na plaży na pewno defilowały przed nią szesnastki szczupłe i opalone, za to na nogach długich, bez cellulitu. I biedna Renia na pewno popadła w kompleks letni! Nie miała tyle szczęścia co ja!

– Możemy się zobaczyć? – Jak przez mgłę usłyszałam głos Reni.

– Natychmiast przychodź, mam cudowne czereśnie! – ucieszyłam się. Niech no przyjdzie szybciutko, bo doprawdy nie można z powodu własnego wyglądu tak smutno postrzegać świata! Ja to naprawię!

Renia zajechała wkrótce przed bramę, rozchlapując głębokie kałuże. Borys radośnie się na niej uwiesił przednimi łapami, a ja patrzyłam na nią wyjątkowo ze współczuciem. Oczy podkrążone, blada (!) po urlopie! Ani śladu nowej opalenizny, luzu, wypoczynku!

Posadziłam ją w fotelu i wyjęłam ciasteczka maślane z cukrem, bo są bardzo dobre. Zaparzyłam herbatę. Renia weszła za mną do kuchni, ale widziałam, w jakim jest stanie.

– Nic nie mów – powiedziałam. – Zaraz usiądziemy i wszystko sobie opowiesz.

Biedna dziewczyna! Oczyma wyobraźni widziałam ją na plaży, otuloną w koc, albo Bóg jeden wie co. Skoro nawet buzi nie ma opalonej!

Renia powlokła się za mną do pokoju i nadgryzła czeresienkę. Na ciasteczka nie zwróciła uwagi.

– No, mów, jak było – rozsiadłam się wygodnie.

– Nie masz jakiegoś drinka?

Nie miałam.

– Pojechaliśmy w poniedziałek. Ale rozumiesz...

– Och, Reniu – krzyknęłam współczująco. – Nie można aż tak przejmować się sobą!

– Chwileczkę – Renia sięgnęła po ciasteczko i spojrzała na mnie jakoś niesympatycznie.

Borys siedział przy niej sztywno i obwąchiwał róg jej spódnicy. Wyczuwał mordercę Azora na odległość.

– Poczekaj – uspokoiłam ją ruchem ręki – najpierw ja ci opowiem o mojej wsi, to zrozumiesz, co ci chcę przekazać! – Byłam w nastroju do nawracania zbłąkanych duszyczek na drogę jedynie słuszną.

Renia znowu sięgnęła po ciasteczko, a ja poczułam się jak ryba w wodzie. Ach, jak wartko mi poszła opowieść o grubej Szwedce, co to nikt nie wiedział, że jest gruba, bo charakter miała wspaniały! Nie pominęłam dzieci i zakochanego męża, wtrąciłam coś o zazdrości o Niebieskiego, po to żeby szybko po godzinie wysnuć wniosek – że piękni jesteśmy, jeśli siebie akceptujemy.

Renia zajadała czereśnie i przyglądała mi się coraz dziwniej. Milczała. Zrozumiałam, jakie trudne musiało być dla niej przebywanie na plaży w towarzystwie męża, który wie, że ona choć piękna i ruda, nie wytrzymuje porównania z modelkami z reklam telewizyjnych. Pojęłam w lot, że porównywanie jej z szesnastkami nie wyszło na dobre ich w końcu niezłemu małżeństwu. A może się kłócili cały czas? Może Renia nieobliczalnie w ogóle zrezygnowała z wypoczynku i nie poszła na plażę, tylko bidulka siedziała sama w domku jakimś letniskowym i cierpiała? Ot, co kobieta sobie potrafi zafundować, jak wpadnie w wir własnych iluzji i nie ma kontaktu z rzeczywistością! Adaśko lubi rude, ale i tak jej współczułam. Co mi tam!

– Reniu kochana – wypaliłam wreszcie – nie martw się! Powiedz mi szczerze, ile razy byłaś na plaży?

– Właśnie próbuję ci powiedzieć...

– Ile? – nie dawałam za wygraną.

– Ani razu! Ale...

– Poczekaj – uspokoiłam ją. – Opowiedz mi wszystko od początku.

– Nie byłam ani razu na plaży! – Renia zerwała się tak gwałtownie, że Potem, leżący dotychczas spokojnie na moich kolanach, drgnął i podniósł łebek. Renia wydawała się wściekła i mówiła podniesionym głosem. – Nie byłam, bo lało! Lało przez pięć dni non stop! A w powrotnej drodze zepsuł się ten cholerny samochód i wracaliśmy jakąś okazją, pod plandeką! Jestem wykończona! Mam katar, źle się czuję i myślałam, że może sobie z tobą pogadam. Ale ty mi zasuwasz o obwodach ud i jakiejś Szwedce!

Z Tosią mi lepiej

Tosia wraca za trzy dni. Już nie mogę się doczekać. Dom bez niej jest pusty. Owszem, bardzo się cieszę, kiedy mogę mieć chwilę spokoju, ale tylko chwilę! A nie cały miesiąc. I ta Szwecja! Poza tym co ona robi nad tym morzem, skoro tam leje? U nas też leje już trzeci dzień. Zaprosiłam Grześków na kolację, wrócili z Włoch, mam nadzieję, że mnie nie zagryzie zazdrość. Adaśko obiecał, że wróci wcześniej, to znaczy koło ósmej. Dlaczego on woli przebywać poza domem? Na początku było zupełnie inaczej. Skończyłam odpisywać na szesnaście listów i próbuję skończyć przed powrotem Naczelnego dwa teksty. Nie mogę nawet zapytać Adama, co o nich myśli, bo jak Naczelny je zaakceptuje i zapłaci, to honorarium od razu pójdzie na spłatę długu.

Grześki przyszły opalone na brąz, ale pod opalenizną wydawali się bladzi. Agnieszka wzięła mnie do kuchni, chłopcy zostali w pokoju, za oknami mokro, leje, mogłoby przestać, bo to przecież środek wakacji. Te biedne roślinki się potopią.

Kroiłam pomidory i patrzyłam niestety z zazdrością na pięknie opaloną Agnieszkę. Ona kroiła cebulę.

– Ostatni raz tak głupio spędzam urlop – powiedziała, ocierając oczy.

– Było tak źle?

– Kochana! – westchnęła Agnieszka. – Byliśmy w dwa samochody, my z Honoratą (to moja Nieletnia Siostrzenica) i Juniorem (to mój Nieletni Siostrzeniec), oni ze swoją starszą córką i młodszym synem.

– O, to idealny układ – westchnęłam, choć te parę dni w Nowej Wronie odświeżyło mnie nadzwyczajnie.

– Ostatni raz w życiu wymyśliłam, żeby może tak razem, bo i dzieci będą miały towarzystwo, i my. Ostatni raz – powtarzała zaciekle Agnieszka, krojąc tę nieszczęsną cebulę. Cięła tak ostro, że aż zrobiło mi się żal tej cebuli.

– Dzieci są w wieku siedem, dziewięć – chłopcy, trzynaście i piętnaście – dziewczynki. Na stacji benzynowej, na której tankujemy, ich córka mówi, że chce jechać z naszą córką. Nie mamy nic przeciwko temu, ale znajomi mają. Ich córka robi awanturę, więc przepakowujemy bagaże, żeby się zmieściła. I wtedy Junior oświadcza, że nigdzie się nie rusza, więc ich synek wpada w histerię, że on nie zostanie w ich samochodzie, skoro siostra jedzie z nami. – Agnieszka machała nożem. – Znajomi są wściekli i w związku z tym zabraniają swojej córce jechać z nami, skoro nasz synek nie chce z ich synkiem. Napięcie rośnie, ich córka się przesiada z powrotem i jest obrażona na brata i na nich, nasza jest obrażona na brata swojego i na nas, że go nie zmusiliśmy. Ruszamy. Na granicy stoimy sześć godzin.

— Ty zawsze przesadzasz — w drzwiach pojawił się Grzesiek. — Pięć godzin i piętnaście minut.

— No mówię właśnie — Agnieszka odwróciła się do Grześka. — Sześć godzin. Jak myślisz, na co starcza tyle czasu?

Na seks akurat, przyszło mi do głowy, ale nic nie powiedziałam.

— Otóż to jest wystarczająco dużo czasu... — ciągnęła niezmordowanie Agnieszka, Grzesiek siadł na stołku przy stole, Adam oparł się o framugę. Wszyscy już byliśmy w kuchni, bo przecież są zaledwie trzy pokoje w tym domu — ...na to, żeby nasza córka i ich córka mogła przekupić Juniora, żeby się zgodził jechać w samochodzie znajomych. Junior się zgadza, ale ja protestuję, bo wolę, żeby nasze dzieci jechały z nami.

— Właśnie — wciął się Grzesiek i otworzył sobie piwo — właśnie. Wszystko przez ciebie, gdybyś się zgodziła, to nie byłoby całej afery.

— Jak ja się mogę zgodzić, żeby Junior jechał z kimś obcym? — Agnieszka patrzyła w moją stronę i szukała poparcia.

Patrzyłam na Grześka i kiwałam głową. No, jakże ona się mogła zgodzić?

– Znajomi się obrażają, że nie mam do nich zaufania. – Agnieszka wróciła do krojenia.

– Bo nie miałaś! – Grzesiek przechylił puszkę. Wyjęłam szklankę i mu ją podałam. Adam pije z puszki.

– Nie miałam!!! Oczywiście, że nie miałam! Ale to nie ma nic do rzeczy. A wtedy Grzesiek – Agnieszka oskarżająco wskazała nożem na Grześka – proponuje, że pojedzie ze znajomymi, a wszystkie dzieci niech jadą ze mną. Ale ja nie po to mam urlop, żeby jechać z czwórką dzieci i użerać się z nimi całą drogę. Wybucha awantura, że utrudniam, bo skoro dzieci się porozumiały, to dlaczego?

– No właśnie, dlaczego?

– Daj jej skończyć – Adam siadł naprzeciwko Grześka. – Niech mówi.

Czasem, choć rzadko, zastanawiam się, co on chce przez to powiedzieć. Bo takie zdanie, choć może mi się wydaje, brzmi jak obelga. Dla Agnieszki na szczęście nie.

– Po awanturze zgadzam się na przesiadkę Juniora do ich samochodu.

– Trzeba było tak od razu – Grzesiek skulił ramiona i umilkł pod piorunującym spojrzeniem Agnieszki,

– Zapada noc. Dzieci jęczą, że nie zasną w samochodzie. Nie ma pola namiotowego, za to jest tani hotelik. Płacimy bajońską sumę, pocieszając się, że do Włoch niedaleko.

– Było niedaleko. – Jej mąż się uśmiechnął.

– Rzeczywiście, było, coś około tysiąca kilometrów. Dojechaliśmy. Wynajmujemy milusi domek za bajońską sumę, bo po co namiot, skoro tak wygodniej. Chcemy zwiedzać, ale nasze córki mówią, że przyjechały nie po to, żeby gdzieś jeździć, one chcą na plażę. Znajoma też chce na plażę, a synkowie oświadczają, że mogą jechać z nami zwiedzać Rzym, pod warunkiem, że coś im kupię. Chcę zobaczyć Rzym, więc wydaję bajońską sumę na zachcianki chłopców, którzy grzecznie wsiadają w samochód i calutki dzień marudzą, że ich nogi bolą i kiedy się będziemy kąpać. Prawda, że tak było?

Grzesiek przytaknął głową. Do kuchni, jakby nas tam było mało, wszedł Borys i uwalił się pod stołem. Agnieszka ciągnęła:

– A wieczorem okazuje się, że dziewczynki chcą spać razem. Umieszczamy dziewczynki razem. Nasz synek oświadcza, że bez nas się boi, w związku z tym śpi w naszym łóżku. Jest ciasno. Ich synek mówi, że sam spać nie będzie, i idzie do rodziców. Znajomi też są niewyspani. Następnego dnia dziewczynki się kłócą, więc znajomi idą na plażę ze swoją córką i naszym synkiem, bo chłopcy się zaprzyjaźnili. My jedziemy w kraj, bo chcemy to i owo zobaczyć. Wieczorem dziewczynki nie chcą razem spać, ale za to chłopcy chcą, czyli nasza córka śpi z nami, a ich córka z nimi. Jeden pokój znowu jest wolny. Wstajemy niewyspani. Rano dziewczynki się godzą. Idziemy na plażę, ale za to chłopcy się pokłócili. I tak przez cały czas! Weź to – Agnieszka gniewnie podała miskę z pomidorami Grześkowi. – I dlatego nie lubię Włoch i w ogóle na ten temat nie będziemy rozmawiać, dobrze?

Wieczorem przytulam się do Adaśka. Może to lepiej, że myśmy nie wyjechali.

Ale Agnieszce się dziwię. Nie wiem, co prawda, mając lat tyle, co mam, jak można wypoczywać w towarzystwie czworga dzieci i różnej płci, i różnego wieku. To, że ja nie miewam takich pomysłów, świadczy nie tylko o braku funduszy, ale o mojej wyjątkowej inteligencji. Teraz mi trochę ich szkoda. Bo przecież cieszyli się na ten wyjazd. Miało być cudownie, bo to i pogoda zapewniona przez klimat, i zabytki zapewnione przez Rzymian, i Morze Śródziemne zapewnione przez lodowce... a skąd lodowce, przecież Morze Śródziemne w ogóle nie jest morzem polodowcowym... tylko jakim? Zapytam jutro Ulę, ona wszystko wie.

W tym roku nie zrobię urodzin ani swoich, ani Adaśka. Żadnej imprezy, i to jest smutne. Nie mam pieniędzy. Ale nie będę o tym myśleć.

Na zakupy

Zadzwoniłam do Mojej Mamy i zapytałam, dlaczego do mnie nie dzwoni. Zadzwoniłam do Mojego Ojca i zapytałam, co by zrobił, gdyby był na miejscu mojej koleżanki, która pożyczyła w dobrej wierze komuś dużą sumę...

Ojciec przerwał mi w pół słowa:

– Ile potrzebujesz?

Zatkało mnie.

– Mogę mieć tysiąc, może półtora, urządza cię?

– Ojej, tatusiu – wystękałam w słuchawkę – to naprawdę nie chodzi o mnie...

– Gdybym był na twoim miejscu – powiedział Mój Ojciec, i poczułam się znowu silną osobą – tobym nie kłamał. Jak będziesz chciała pożyczki, to mnie uprzedź, muszę wyciągnąć oszczędności z książeczki.

Oto jak inteligenci dzisiaj żyją. Mój całe życie ciężko pracujący Ojciec może mi pożyczyć swoje oszczędności, wynoszące tysiąc pięćset złotych. Łzy zakręciły mi się w oczach, wobec tego ostro powiedziałam, że nigdy mi nie wierzy, i odłożyłam słuchawkę.

*

Tosia wróciła znad morza czarna jak Murzyn, wyszczuplona i szczęśliwa. Popatruję na nią spod oka, ale nie widzę śladów grzechu. A może przesadzam? A może ona jest rozsądna? A może z tym całym Jakubem pozostaje tylko w przyjaźni i cnotę straci dopiero po ślubie, choć była w Szwecji? Nie, to beznadziejny pomysł, aż tak źle jej nie życzę. Cieszę się, że wróciła przed naszymi urodzinami. Naszymi, to brzmi fajnie, choć to nieprawda. Adam ma urodziny trzy tygodnie później, ale jednak będzie parę osób, tylko parę. Tosia pomaga mi dzielnie przygotować przyjęcie. Przyjęcie będzie się składało ze smalcu, który właśnie robię, pierogów, które zrobi Moja Mama, alkoholu, który obiecał Mój Ojciec, sałatki, którą przyniosą goście, i czerwonego barszczu, który zrobił Hortex.

Tosia stoi razem ze mną w kuchni, gdzie na trzech patelniach topi się słonina. Do jednej z nich dodam w ostatniej chwili cebulę, do drugiej jabłko i cebulę, a do trzeciej nic. Tosia obserwuje mnie bacznie spod oka.

— Zastanowiłaś się, czy coś ze sobą zrobisz? — pyta mnie od niechcenia, a mnie o mało nóż nie wypada z ręki.

– To znaczy co?

– No wiesz – mówi Tosia, ale ja całkiem nie wiem.

– To znaczy co? – powtarzam uparcie, bo ostatecznie od kogo jak od kogo, ale od własnej córki na pewno usłyszę prawdę.

– Będę szczera – Tosia bierze głęboki oddech. – Nie jest z tobą najlepiej. Starzejesz się.

Ale mądralę sobie wychowałam! Wiadomo, że nie młodnieję.

– Ty też – rzucam śmiało razem z następną porcją cebuli do smalcu.

– Ja to co innego – mówi poważnie Tosia. – Chyba nie chcesz wyglądać gorzej niż Renia?

Nie chcę, ale wyglądam. Taka jest prawda, której nikt nie jest w stanie ukryć.

– Mamo – ton głosu Tosi jest proszący – zadbaj trochę o siebie. Jola na przykład...

Ale mnie zupełnie nie interesuje, co Jola na przykład. Zostawiam Tosię samą w kuchni i zabieram się do porządkowania mieszkania. Nie wiem, dlaczego dzieci są takie wobec rodziców. Nie mają obiektywnego spojrzenia, nie mówią prawdy, tylko do czegoś zmuszają. Nie, nie chcę być zmuszana do niczego.

*

Pojechałyśmy z Tosią po prezent dla Adama. On nie może nie dostać prezentu tylko dlatego, że ja mam długi. Mój Naczelny zapłacił mi siedemset złotych za tekst, więc będzie na rachunki i na prezent. Niestety, ani ja, ani Tosia nie mamy żadnego pomysłu, co kupić. Tosia mówi, żebym się nie martwiła, bo jak tylko znajdziemy się w sklepie, od razu będziemy wiedziały. Wzięła wszystkie swoje oszczędności, bo nieczęsto jeździmy na zakupy razem.

Postanowiłyśmy, że kupimy coś fajnego, coś, co i nam sprawiłoby przyjemność. Już w pierwszym perfumeryjnym sklepie kupiłam dla Mojej Matki buteleczkę perfum, to będzie jak znalazł pod choinkę. Tosia krzyknęła:

– To ja też sobie od razu kupię!

No i dobrze, bo przecież niecodziennie kobieta jest w sklepie perfumeryjnym. Przy okazji zobaczyłam to Kenzo, którego nie lubi Renka, a które tak mi się podoba. No i kupiłam, bo jak znam życie, nikt na to nie wpadnie, a ja będę miała prezent, z którego się ucieszę. Korzystając z okazji, zaopatrzyłyśmy się też w kremy na noc i na dzień (promocja), tusz do rzęs (Tosia swój zgubiła, a ja nie mam), śliczne cienie do powiek (też nam się coś od życia należy) oraz olejek do kąpieli (wielka promocja). Nie mogłyśmy się zdecydować, co kupić Adamowi, i wreszcie Tosia powiedziała:

– Nie musimy przecież kupować mu kosmetyków, to takie banalne. Lepiej kupmy mu jakiś superpasek.

W sklepie z galanterią skórzaną przejrzałyśmy dokładnie wszystko i nie było tam nic ciekawego oprócz ślicznego damskiego paska, który jakby był szyty na mnie, i portfela dla Tosi.

– Nie martw się – powiedziała Tosia – chodźmy do sklepu z narzędziami.

I poszłyśmy. W sklepie z narzędziami nie było nic ciekawego, tylko jakieś głupie narzędzia, więc wyszłyśmy szybko, żeby nie tracić czasu.

Zahaczyłyśmy po drodze o gospodarstwo domowe, bo nigdy nic nie wiadomo. I rzeczywiście, trafiłam na szklanki z grubego szkła, które zawsze chciałam mieć, a Tosia wypatrzyła wazonik do swojego pokoju. Potem zrobiłyśmy sobie przerwę na kawę. Wypiłyśmy po soku pomarańczowym, i okazało się, że przy kawiarence jest sklep z odzieżą. Damską, ale co szkodzi zajrzeć. Nieczęsto mamy okazję pooglądać sobie ubrania. Nie, żebyśmy chciały od razu kupować, tylko po prostu popatrzeć. Niestety, jak tylko weszłam, zamarłam z wrażenia. Wisiała tam sukienka moich marzeń – głęboki oliwkowy odcień, puchata, do samej ziemi. Jęknęłam. Tosia popatrzyła na mnie z obrzydzeniem.

– Nie jęcz, tylko przymierz, to jest okazja – stwierdziła autorytatywnie.

Przymierzyłam, leżała jak ulał. Nie chciałam jej kupować, ale Tosia wytłumaczyła mi, że taka okazja może się nie powtórzyć i przecież mam też urodziny. Sama wybrała sobie dwie bluzeczki, do których musiałam się dołożyć. W sklepie z ubraniami męskimi nie było nic ciekawego oprócz fantastycznego blezera w kolorze śliwki, ale był za duży na Tosię, a Adam nie lubi śliwek.

Wróciłyśmy do domu zmęczone, ale zadowolone. Na dworcu kupiłyśmy od Rosjan prawdziwą lornetkę wojskową, Adaśko powinien się ucieszyć, bo to nie jest żaden praktyczny prezent, tylko prezent dla samej przyjemności.

Tosia, zabierając swoje zakupy na górę, powiedziała:

– Mówiłam ci, wystarczy tylko iść do sklepu, a pomysły przychodzą do głowy same.

Rachunki zapłacę ze zleceń.

A potem okazało się, że to były bardzo przyjemne urodziny. Wystawiliśmy głośniki na okno, Adam przyniósł pochodnie z Makro, ogród rozświetlił się ciepłym, przyjaznym światłem. Niektóre kwiaty dyni zamieniły się już w dynie i to wyglądało jak z filmu, naprawdę, Adaśko mój, nie zważając na obecność mojej własnej córki, tańczył ze mną przytulony pod gwiazdami i było tak, jak miało być od początku świata, od zawsze, nareszcie.

*

Zadzwoniła Ala, że absolutnie natychmiast musi mieć z powrotem pieniądze, jej matka zachorowała, i ma nóż na gardle. Jadę do Warszawy, podejmuję te nieszczęsne dziesięć tysięcy i oddaję. Może Adam nie będzie kupował komputera w tej chwili. Szymon jest na wakacjach. Tosia wyjechała z Tym od Joli. Sama! Jola niechybnie się ucieszyła, jak znam życie. Ten od Joli powiedział, że musi odpocząć. Wracam w te pędy do domu i siadam przed komputerem.

Jeśli nie zapłacę rachunku telefonicznego, to oszczędzę sto czterdzieści złotych. Jeśli nie zapłacę za elektryczność, będzie następne dwieście dwadzieścia. Pieniądze na rachunki trzymamy w szufladzie w kuchni. Może tak od razu nie wyłączą telefonu i światła. To już jest trzysta sześćdziesiąt. Z redakcji powinnam dostać przynajmniej osiemset dwadzieścia za te cholerne prace zlecone, za dodatkowe listy dwieście trzydzieści pięć, a jeśli pójdzie artykulik, który musiałam poprawiać całą zeszłą noc, to może Naczelny mi da ze trzysta. Nijak nie chce się uzbierać dziesięć tysięcy. Ojciec może pożyczyć dwa. Mało. Nie dam sobie rady. Nie mogę powiedzieć Adamowi, to jedno jest pewne. Siedzę przy komputerze następne dziewięć godzin.

Mąż Renki szuka kogoś, kto by wpisywał dane na dyskietki. Wpadł wczoraj po południu, pytał, czy może w redakcji jakaś maszynistka chce dorobić. Chce. Nie wie, że to ja. Jeśli zdążę na środę – zarobię kolejne trzysta dwadzieścia, i to wolne od podatku. Mało.

Kiedy Adam zasypia, podnoszę się i włączam komputer. Zabieram się do pracy dla Artura. Cyfry skaczą mi przed oczami. O trzeciej muszę skończyć, bo za często się mylę. Słyszę trzaśnięcie drzwi i podskakuję. Adam staje przede mną nieprzytomny, przeciera oczy.

– Czyś ty zwariowała?

Uśmiecham się.

– Nie mogłam spać. Wena mnie dopadła.

Wyłączam komputer i zasypiam jak zabita.

Muszę to tylko dobrze zorganizować. I nie dopuścić, żeby Adam zobaczył wyciągi z banku.

Musisz coś ze sobą zrobić

No i doszło do tego, że sam Adaśko powiedział do mnie:

– Ty coś wreszcie musisz ze sobą zrobić!

Jęknęłam, ponieważ kazał mi spojrzeć w niebo. Spróbujcie spojrzeć w niebo, gdy coś wam się stanie w szyję! To niemożliwe. Nie wiem, dlaczego akurat ze wszystkich osób, które znam, tylko ja mam coś z szyją. Może dlatego, że spędzam długie godziny przy komputerze, zamiast na przykład na grze w tenisa. Codziennie. Niezależnie od pory roku. Jasne, że wolałabym grać w tenisa niż siedzieć przed ekranem! Pocieszam się, że inni mają jeszcze gorzej. Na przykład moja koleżanka ze znajomej redakcji. Wszystkie gry im wykasował naczelny. Czy naczelny nie ma nic lepszego do roboty?

Adaśko wysłał mnie do lekarza. No, ale w każdym razie okazało się, że mam zwyrodniałe kręgi. Najpierw zwyrodniali mężczyźni, potem zwyrodniałe kręgi.

Adam przyjechał wczoraj z książką, bardzo pouczającą lekturą o kręgosłupie. Tłustym drukiem stało tam na okładce jak byk: *Kluczem do zdrowia kręgosłupa jest jego pełna ruchomość. Siedzący tryb pracy powoduje, że kręgosłup traci swoją elastyczność.* I tak dalej. A w środku wykaz ćwiczeń. Trudno. Postanowiłam ćwiczyć. Bez kasety, z książką w ręku. Ruch to zdrowie. Bardzo proszę. Po dziewięciu godzinach spędzonych przed komputerem muszę o siebie zadbać.

Ubrana w dres położyłam się na podłodze w pozycji wyjściowej. Leżę „na prawym boku, głowa na prawej ręce zgiętej w łokciu. Lewa dłoń oparta swobodnie o podłoże na wysokości brzucha". Czemu nie? Nogi zgięte w kolanach. „Podnosimy złączone stopami nogi w górę, z jednoczesnym skrętem bioder". Mogę to zrobić. Bardzo proszę. Nic łatwiejszego. Podnoszę.

Wtedy wpada na mnie Borys, który myśli, że jak ja leżę na podłodze, to robię to wyłącznie dla jego przyjemności, żeby się zabawić. Szczeka. Warczy. Łapie mnie za złączone stopami nogi. Podbiega i cofa się. Skacze! W życiu nie był bardziej zadowolony! Wstaję i wyrzucam go do przedpokoju. Kładę się na ziemi, na prawym boku, głowa leży na prawej, zgiętej w łokciu ręce. Pies w przedpokoju wyje. Wyje rozpaczliwie i drapie w drzwi. Podnoszę się. Rzuca się na mnie, jakby mnie rok nie widział. Przysiada. Próbuję rozsądnie przemówić mu do rozumu. Tańczy dookoła i szarpie moją nogawkę od dresu. Próbuję mu wytłumaczyć, że muszę ćwiczyć i żeby spokojnie się położył. Kładzie się spokojnie, wchodzę do pokoju, kładę się na prawym boku, głowa leży na prawej, zgiętej w łokciu ręce. Pies wyje. Nie zwracam na niego uwagi. Pies wyje. Podnoszę nogi.

– Judyta! – To krzyk z ogrodu.

Podnoszę się i otwieram drzwi na taras, Borys radosny jak skowronek wybiega. Przy płocie stoi Ula.

– Co ty robisz z tym psem?

Stosowniej byłoby zapytać, co pies robi ze mną. Borys stoi przy płocie i macha ogonem. Przepraszam za Borysa. Może jak się wybiega, da mi poćwiczyć.

Borys wchodzi cały do oczka wodnego i zaczyna się taplać. Nigdy tego nie robi, bo nie wolno! Wybiegam, krzyczę, ale już jest za późno. Borys utytłany po uszy wyciera się koło marcinków, akurat tam, gdzie jest sympatyczna glina. Drę się na niego i Borys w końcu łaskawie zauważa, czego od niego chcę. Otwieram szeroko drzwi i wracam do gimnastyki. Borys wbiegł przede mną i całe błoto wytarł w dywan, na którym zamierzałam się mimo wszystko położyć i zgięty łokieć podłożyć i tak dalej.

Wsadziłam psa do wanny i wykąpałam. Przez półtorej godziny szorowałam łazienkę. Przez piętnaście minut walczyłam z zapaćkanym dywanem za pomocą płynu do prania dywanów. Zostały plamy. „Niezrównany na dywany”. Dywan jest wilgotny, choć instrukcja mówi, że będzie suchy. Po godzinie sprawdzam. Nie jest. Potwornie boli mnie kręgosłup od dźwigania Borysa, plecy od szorowania łazienki i kolana od klęczenia na dywanie i czyszczenia plam.

Nie zrezygnuję! O nie! Nie tym razem! Nie, gdy chodzi o zdrowie. Ale najpierw muszę odpocząć, a poza tym bardzo chce mi się pić. Robię herbatę, przynoszę miednicę z gorącą wodą, włączam telewizor i wkładam nogi do miednicy. Bosko! Tylko troszkę odpocznę i zaraz zabieram się do gimnastyki kręgosłupa, który nierozruszany grozi kalectwem.

Wtedy dzwoni Moja Mama i pyta, co słychać. Następnie pyta, dlaczego kąpię psa, skoro mam kłopot z kręgosłupem. Wylewam wodę z miednicy i idę do łóżka. Nigdzie nie było napisane, że nie można ćwiczyć w łóżku. Kładę się na prawym boku, prawą rękę zgiętą w łokciu podkładam pod głowę. Teraz trzeba tylko podnosić nogi złączone stopami.

Budzę się nad ranem. Zimno. Prawą rękę mam w dalszym ciągu pod głową. Kompletnie zdrętwiałą. Jest wpół do piątej. W pokoju śmierdzi mokrym psem. Światła zapalone. Na sekretarce cztery wiadomości, trzy od Adama. Że nie wróci, program się przedłuża, jedzie prosto z radia do pracy.

Boli mnie szyja, plecy, nogi, ręka i zaczyna mi pękać głowa. Wpuszczam do domu Zaraza i Potema, bo koty siedzą zdezorientowane na parapecie, gaszę światło i przykrywam się po uszy kołdrą. Nawet nie myję zębów.

*

Posprzątałam mieszkanie. Jak będę wracać o siódmej, na pewno nie będę miała siły na porządki. Przed-
pokój jest calutki upaprany czerwonawobrudnawą zie-
mią. Buty Adama musiałam wrzucić do pralki, utytłane jak, nie przymierzając, pies Borys niedawno. Wzięłam zastępstwo za koleżankę, która jest na urlopie.
Przez dwa tygodnie będę musiała dzień w dzień jeździć do redakcji i siedzieć tam od rana do wieczora.
Ale też dostanę prawie połowę jej pensji. Adamowi
powiedziałam, że mnie poprosił Naczelny w ramach
obowiązków służbowych i innych poleceń, nad czym
głęboko ubolewam.

— Myślałem, że teraz trochę odpoczniemy — powiedział Adam jakoś podejrzanie — nie musimy się
martwić o pieniądze, a przecież wiedziałaś, że ten tydzień będę miał luźniejszy.

On myśli, że ja tak specjalnie, żeby nie być z nim.
Wcale mi się nie uśmiecha praca od siódmej rano do
siódmej wieczór — licząc dojazdy. Właśnie teraz, kiedy
kończy się lato, ostatnie ciepłe dni, Tosia wraca niedługo z gór i znowu zacznie się kierat dnia codzienne-
go. Ale w mojej sytuacji tysiąc pięćset złotych jest
nie do pogardzenia.

Muszę. Spojrzałam na niego.

— Czy dzieje się coś, o czym nie wiem? — Adam nie
spuszczał ze mnie wzroku i poczułam się osaczona.

– A co się ma dziać? – wzruszyłam ramionami. – Wszystko OK, ale przecież nie mogę powiedzieć Naczelnemu, żeby się wypchał.

– Dobra – Adam podniósł się z fotela. – Ale mówiłaś, że zawsze w wakacje jesteś mniej obłożona robotą. To może ja zajmę się tym komputerem dla Szymona...

– Nie! – krzyknęłam. – Poczekaj – dodałam spokojniej – kolega w pracy mi powiedział, że we wrześniu będą specjalne promocje, czekają na początek roku szkolnego – plątałam się w nadziei, że odciągnę uwagę Adama od pustego konta. A jednocześnie czułam przez skórę, że coś wisi w powietrzu. Nie miałam pojęcia co.

Pod koniec września będę miała dwa tysiące. I dwa pożyczy mi ojciec. Zrobię coś, żeby Adam w ogóle nie doszedł na ulicę, gdzie mamy bank.

– Co to za firma? – zapytał.

– Ojej, wiesz, że nie mam głowy do nazw. Ale jutro ci powiem. Wstrzymaj się – powiedziałam, starając się ze wszystkich sił, żeby te słowa zabrzmiały lekko i prawdziwie zarazem.

– Mogę się wstrzymać – powiedział Adam, ale patrzył na mnie w dalszym ciągu dość dziwnie.

Więc poszłam do pokoju i włączyłam komputer.

A potem usłyszałam z ogrodu Uli donośny śmiech Krzysia i głos Adama. No cóż. Sama jestem sobie winna.

*

Nie wiem, jak wytrzymam w redakcji i jak wytrzymam w kolejce. Nie mogę się schylać i nie mogę kręcić głową. Przyszła Renia. Mam wrażenie, ilekroć z nią rozmawiam, że coś przede mną ukrywa. Ale może jestem przeczulona, może wszędzie węszę niebezpieczeństwo, doświadczona przez Tego od Joli. Ale przecież nie myślę o nim często, a ilekroć widzę Renię, czuję niepokój i boję się o Adama.

Renia rozsiadła się w kuchni, w pokoju mam rozłożoną robotę, parzę herbatę. Renia wyciąga i kładzie koło siebie na stole telefon komórkowy. Czerwony. To coś nowego. I okazuje się, że od męża. Nie poszła sobie sama samiutka do jakiegoś punktu sprzedaży, który reklamuje się, że dopłaca ci do wszystkich rozmów, bo jest taki dobry i tak o ciebie dba. Nie. Ona ten telefon dostała od męża. Zacny prezent od męża. Bez powodu, z wielkiej miłości. Troszkę jej pozazdrościłam. Ten od Joli, kiedyś w przeszłości, dużo by dał czasami, żeby mnie nie słyszeć. A jej Artur widać wprost przeciwnie. Bywa. Albo się coś zmieniło na lepsze w ich małżeństwie, albo wprost przeciwnie. Jeśli mężczyzna do późna siedzi w pracy, to znaczy, że nie przepada za domem, nie oszukujmy się.

Siedziała u mnie czterdzieści pięć minut. Zgadnijcie, ile razy zadzwonił? Pięć! Pięć, a to daje średnio jeden telefon na dziewięć minut.

– Z cytryną? – zapytałam, bo właśnie ugotowała się woda.

Bzyyyy, bzyyy, bzyyy.

– Misiu? To ja. Ja cię też. Jestem u Judyty, wpadłam na chwilę. Nie. Niedługo. Ja cię też. No to pa.

Robię herbatę. Czajnik szumi. Spędzam ze stołu koty, kładę dwie maty słomiane, wsypuję cukier do pustej cukierniczki.

– Mów, co słychać, tak dawno cię nie widziałam.
– Wciąż się cieszę.

Bzyyy, bzyyy, bzyyy.

– Misiu? No to ja. Pijemy herbatę. Będę niedługo. Ja też tęsknię. Dobrze. Powiem. No to pa.

– Pozdrawia cię – mówi Renia.

Dziękuję, nalewam do szklanki esencji, znajduję dziwnym trafem niedojedzone orzeszki w miodzie i próbuję się skontaktować z Renią.

– Nie, nie jem orzeszków, Miś mówi, że mi tu przybyło.

Bzyyy, bzyyy, bzyyy.

– Misiu? Judyta podała orzeszki w miodzie, ale nie będę jadła. Ja cię też. Całuję. Pa.

Patrzę ja na nią, nic jej nie przybyło, raczej bym powiedziała, że ubyło – jeśli chodzi o rozsądek. Mnie by facet wykończył, telefonując co trzy minuty albo nawet co dziewięć. Choć gdyby Adam miał telefon, łatwiej byłoby się z nim porozumieć.

– Może wyłącz telefon? – proponuję nieśmiało.

– No coś ty, przecież on mi go kupił, żeby się ze mną w każdej chwili móc skontaktować.

I rzeczywiście.

Bzyyy, bzyyy, bzyyy.

– Misiu? To ja.

A kto, na miłość boską, miałby odbierać?

– No. Będę niedługo. Kończymy herbatkę. Co u Judyty? Chyba wszystko OK. Ja cię też. Pa.

Telefonik śliczny. Malutki. Co się, u licha, stało? Do tej pory mówiła o mężu rzadko i nigdy go o tej porze nie było w domu, a tu proszę! Odprowadzam ją do samochodu. Rzuca torbę na tylne siedzenie, zapala silnik, odwraca się, szuka, potem to szukane przykłada do ucha. Rusza. Odjeżdża.

No cóż, przynajmniej nie zdążyła mnie zdenerwować gadaniem o mężczyznach, co to mogą cię zdradzać, i w ogóle się nie zorientujesz, że cię zdradzają. Swoją drogą, jakby ten Artur był taki zakochany, toby wcześniej wracał do domu. Ona przecież bez przerwy jest sama. Nic dziwnego, że wymyśla tenisa w Warszawie.

Przypomniało mi się, jak byłam u Basi i jej męża na kolacji z Adamem, jeszcze w zimie. Są piętnaście lat po ślubie i postanowili to uczcić. Myśmy dawno zamówili wykwintne krewetki z czosnkiem, na ciepło, na maśle, a Basia jeździ paluszkiem po karcie, mąż zagląda jej przez ramię. A kelner stoi i czeka.

– To może najpierw pan? – kelner nie wytrzymuje tego czekania.

– O nie, ja po żonie – mówi Mężczyzna Jej Życia.

Ona wskazuje coś w karcie menu, on potakująco kiwa głową. No, pamiętam, jak sobie pomyślałam, że bez jego pozwolenia nawet zjeść biedactwo nie może tego, na co ma ochotę. I musiałam mieć w oczach coś, co kazało im się natychmiast wytłumaczyć.

– Wiesz – powiedział – dla mnie jest znacznie ważniejsze, co Basia zamówi.

Ona zaś uśmiecha się.

– Od naszego pobytu we Francji.

Co tu jest do uśmiechania się, ja się pytam!

On:

– Cały czas zwiedzaliśmy zamki nad Loarą.

Ona:

– Byliśmy wykończeni i rzadko jedliśmy coś porządnego.

On:

I postanowiłem zaprosić Basię na wspaniałą kolację.

Ona:

– Do cudownej knajpy.

On:

– I poszliśmy.

Ona:

– Ale kelner kiepsko po angielsku.

On:

– I karta dań tylko po francusku.

Ona:

– A my kiepsko po francusku.

On:

– I Basia zamówiła jakieś *les pommes de...*

Ona:

– A ty co innego...

On:

– Na szczęście.

Ona:

– Bo wiesz co? Ja nienawidzę tylko jednej potrawy. To są ziemniaki i sztukamięs w sosie chrzanowym. I właśnie to dostałam. Myślałam, że się rozpłaczę.

On:

– I ja musiałem to zjeść. Od tego czasu większą uwagę przykładam do tego, co zamawia moja żona. Zawsze istnieje niebezpieczeństwo, że nie będzie jej smakowało i ja to będę konsumował.

Ciekawe, czego nie chce konsumować mąż Renki, który zabezpiecza się, dając jej komórkę. Czerwoną.

*

Przyjeżdżam kompletnie złachana z pracy. Nie mam siły na nic. Wczoraj musiałam czekać na kolejkę prawie całą godzinę. Adam podstawił mi pod nos kanapki z żółtym serem i pomidorem, ale nie mam siły jeść.

– Trzeba było zadzwonić, tobym wyjechał po ciebie – powiedział.

Ale skąd ja miałam wiedzieć, siedząc w redakcji, że będzie taki korek w Alejach i że się spóźnię na kolejkę? Mężczyźni są zupełnie bez wyobraźni. Gdyby człowiek wiedział, że się przewróci, toby usiadł, prawda?

Wzięłam kąpiel i postanowiłam poczytać w łóżku, mimo że jest dopiero dziesiąta. Nie pamiętam, kiedy zasnęłam. Wstałam o szóstej i dalej byłam zmęczona. Szyją już w ogóle nie mogę ruszać.

Adaśko zadzwonił do redakcji o drugiej.

– Zamówiłem ci kręgarza – powiedział i podał adres na drugim końcu miasta. – Masz do niego absolutnie iść, bo wpisał cię wyjątkowo na dzisiaj. Przyjadę tam po ciebie.

W innych okolicznościach podejrzewałabym, że coś kombinuje. Byłam wzruszona, że ktoś o mnie zadbał, i oczywiście wcześniej wyszłam z redakcji i pojechałam na drugi koniec miasta. Drzwi otworzył mi cudowny mężczyzna, który kazał mi się rozebrać. Właściwie dawno nikt mi tego od drzwi nie proponował.

Okazało się, że wyskoczył mi taki kręg, co jak wyskoczy, to w ogóle nie wiesz, czy żyjesz. Bolało jak cholera, ale chiropraktyk nie takie rzeczy widział. Choć jak mnie nacisnął, zapragnęłam, żeby miał coś wspólnego raczej z wróżeniem. Ale on mnie próbował nastawić. Leżałam u niego na kozetce, a on boleśnie majstrował przy moim ciele. Gdyby jeszcze od tego się szczuplało!

Najpierw spojrzał na mnie i jęknął. Matko moja, dobrze, że Niebieski tak nie jęczy na mój rozebrany widok! Jęknął z powodu krzywizn. A potem mnie troszkę ponastawiał i powiedział, co i jak mam ćwiczyć. I to nie ma mieć nic wspólnego z callaneticsem, do cholery!

Ledwie człowiek zacznie nowe życie, które ma mu świetnie iść, już mu czegoś zabraniają! Dobrze, będę leżeć na dywanie i machać tymi nogami, tak jak mi kazał chiro, który nie wie nic o długu, o Reni i o tym, jakie mam kłopoty.

– Do szyi będziemy się dobierać później. – Jego głos jest stanowczy, więc mu wierzę.

– Na razie zajmę się lędźwiowym – dodaje wyjaśniająco.

Jest to obiecująca propozycja ze strony mężczyzny, nawet jeśli jest tylko naszym lekarzem.

– Gdyby pani odrobinę poprawiła stan mięśni brzucha – powiedział na pożegnanie chiropraktyk – to kręgosłup lepiej by się zachowywał.

No i proszę! Idź tu, człowieku, do lekarza, to ci tak przyłoży w twój czuły punkt, że nie musisz czytać pism kobiecych o dietach i z nich się dowiadywać, jaka jesteś beznadziejna przy Claudii Schiffer, o nie! Usłyszysz od niego, że jesteś kawałem tłustej baby i masz schudnąć.

Niestety to, że Adam przyjechał po mnie, nie osłodziło mi tej fatalnej wiadomości. Adam jakoś się inaczej zachowuje. Może rację ma Renka i muszę schudnąć?

Chudnę w tajemnicy

Umówiłam się z Ulą, że ona też w tajemnicy przed Krzysiem będzie chudła. Pożyczyłam w tajemnicy przed Adamem książkę o zdrowym życiu. Przeczytałam tam, że trzydniowe oczyszczanie znakomicie na mnie wpłynie. Pierwszy dzień – kefir i suchary z żytniego chleba, drugi dzień – ww. suchary i sok z jabłek, trzeci dzień – gotowane warzywka. Mogę zacząć w piątek, to sobotę i niedzielę jakoś w domu przetrzymam, a potem już poleci. Nie powiedziałam o niczym nawet Tosi, która zresztą od czasu, kiedy wróciła z Zakopanego, siedzi głównie u Uli, bo jej córki, Isia i Agata, również wróciły.

Przez tydzień szukałam sucharów z pełnoziarnistego chleba – to wcale nie jest proste. Wreszcie córka sąsiadki Mojej Mamy powiedziała, że jej znajoma ma teściową na Grochowie i tam chyba są. Wobec tego poprosiłam uprzejmie córkę sąsiadki Mojej Mamy, żeby poprosiła znajomą, która ma teściową na Grochowie... Mogła.

Jestem zaopatrzona w suchary i nic już nie stoi na przeszkodzie. Nikomu nie będę o tym mówić! Suchary najpierw chciałam schować w kredensie. Potem pomyślałam o piekarniku. W końcu schowałam na dole w szafce, przy kuchence, żeby nie było głupich pytań, po co ja kupuję suchary w takich ilościach. Jeśli chodzi o pytania, to Adaśko ogranicza się do pytań o stan mojego kręgosłupa. Nie kojarzyłby zresztą mojej diety z zaleceniem chiro, ale na ogół mężczyzna, dopóki mu kobieta nie powie, że jest za gruba, to naprawdę tego nie zauważa. Kupiłam trzy litry kefiru. Zapytałam zdawkowo Ulę, czy ewentualnie też chce ze mną jeść te suchary. Powiedziała, że mowy nie ma, bo ona teraz dużo energii zużywa na odchudzającą gimnastykę i je normalnie. No i dobrze.

Boże, jaka ja się obudziłam głodna! Wypiłam kefir i zjadłam suchary. Wytrzymam! Wytrzymam! Żrę te suchary i popijam kefirkiem. W tajemnicy przed Borysem i Niebieskim. O Tosi nie wspomnę. Jakoś przeżyję do poniedziałku. W poniedziałek siedzę w redakcji i udaję, że nie widzę, iż wszyscy zajmują się wyłącznie jedzeniem. Jestem głodna. Myślę o obiedzie złożonym z dwóch schabowych z ziemniaczkami purée. Piję kefir.

Wracam do domu i tu zaczynają się problemy. Tosia z Adamem czekali na mnie z pachnącymi mielonymi, które zrobiła Tosia pod telefoniczne dyktando

Mojej Mamy, a ja musiałam udawać, że zjadłam wcześniej obiad.

Adam od razu po obiedzie rozłożył papiery na stole w kuchni, żeby popracować, bo Tosia zajęła jego komputer. W ogóle nie mogłam się dostać do sucharów! Wypiłam kefir i kręciłam się po domu jak kto zbędny. Aż mnie zapytał, co ja tak wędruję po kuchni wte i wewte. Mężczyźni są tak skonstruowani, że nie zauważą, że ścięłaś swoje warkocze do stóp i jesteś łysa jak kolano, natomiast jak chcesz się dostać do swojego schowanego sucharka, od razu stają się podejrzliwi.

Umieram z głodu. Pytam Adaśka, czy poszedłby do kina. Poszedłby, ale nie dziś, bo ma robotę. Pytam Tosię, czy nie poszłaby do kina. Poszłaby, ale z Jakubem i nie dziś. Dzwonię do Uli, czy może by poszła ze mną do kina. Wszystko jest lepsze niż siedzenie w domu, gdzie schowałam sucharki, do których nie mogę się dostać. Ula krzyczy, że bardzo chętnie ze mną pójdzie do kina. Idziemy na nowy film z Harrisonem Fordem. W kinie Harrison był śliczny i zapraszał swoją żonę na kolację. I byli na przyjęciu. Było tam dużo dobrego jedzenia. Potem jego żona przygotowała koszyczek z jedzeniem i poszła do sąsiadki, żeby jej to wszystko dać. Ale sąsiadki nie było, tylko sąsiad, który ten koszyk z jedzeniem wziął spod drzwi. Potem podglądała jednego pana, co jadł samotnie kolację w nocy, przez lunetę. Potem sięgała do lodówki. Potem on otwierał wino. Był to jakiś film o żywieniu, nie jestem pewna, czy zdrowym. W międzyczasie ktoś kogoś zabijał, ale nie jadł, więc traciłam zainteresowanie akcją. Przy życiu trzymała mnie tylko świadomość, że w kuchni, w szafce, najdalszej, koło piekarnika, mam ukryte suchareczki i natychmiast po przyjściu do domu wykorzystam pierwszą okazję, żeby się z nimi zamknąć w łazience.

Do domu wpadam późnym wieczorem i czuję, że pożarłabym nawet wołu niezarażonego wściekiem, bo ten już mam w sobie. Kuchnia pusta, Niebieski przed kolejnymi złymi wiadomościami ze świata, Tosia uwieszona na telefonie. Rzucam się do szafki – ani śladu po moich sucharkach!

Mamo moja, gdzie ja je wsadziłam? Może mi się wydawało, że tutaj? Może jednak przełożyłam je do kredensu? Wyjmuję wszystkie gary z kredensu. Nie ma! Wyjmuję wszystko z szafki pod zlewem. Nie ma. Nie ma! Nie ma!!!

Wtedy wchodzi Adam. Patrzy na kuchnię, na te gary i pokrywki na podłodze, naczynia żaroodporne, ziemniaki, szczotkę i kosz do śmieci i mówi:

– Szukasz sucharków? Ja już nakarmiłem Borysa. Przez cały wieczór leżał przy tej szafce. Nie masz pojęcia, jak mu smakowały!

Boże!!!

Wobec tego zjadam dwa pyszne mielone szny-celki. Tosia świetnie gotuje. I trzy kromki chleba. Muszę chyba pomyśleć o jakiejś bardziej radykalnej głodówce.

Tosia kończy rozmowę z Jakubem.

– Mam nadzieję, że to on dzwonił – rzucam życzliwie przez ramię. Nie chcę myśleć o wysokości następnego rachunku telefonicznego.

Tosia patrzy na mnie z wyrzutem, a potem spogląda na kanapkę w mojej ręce, a potem w jej oczach pojawia się błysk zrozumienia.

– Jesteś na diecie? To były twoje sucharki, co? Ale kino!

Więc idę do siebie i włączam komputer.

*

Adam przestał mówić o komputerze Szymona. Niestety, wziął dodatkowe dyżury w radiu i w ten sposób na siedem nocy w tygodniu dwie spędzam samotnie. Nie wiem, dlaczego tak zdecydował. Może ma mnie dosyć. Może widzi, że nie jestem jednak kobietą jego życia.

Tosia przyniosła mi dzisiaj książkę *Wyobraź sobie, że jesteś szczupła* i zostawiła na stole w kuchni.

– Co to jest? – otworzyłam ją.

– A takie tam – powiedziała wyjaśniająco. – Ja przeczytałam.

– To bzdury – odrzekłam.

– Nikt ci nie każe tego czytać. Ale zajrzyj – powiedziała Tosia i pobiegła do samochodu, gdzie już na nią trąbił Adam. I pojechali. Ona do szkoły, on do pracy.

Zostałam sama. Mam straszną robotę, ale zaglądam.

Zwinęłam się w kłębek w fotelu. Otworzyłam książkę, popijając herbatkę z cukrem i pojadając serniczek od Uli. Najważniejsza rzecz to odpowiednie lektury. Otóż w tej właśnie książce niezwykle mądrej autorki jasno było napisane, że organizm sam wie, jak powinien wyglądać. Ty nie musisz nic robić! Całym twoim zadaniem jest wyobrażanie sobie, że jesteś szczupła! Czy to nie cudowne???

Serniczek teściowej Uli świetny. Przymykam oczy i sobie wyobrażam. Wchodzę do supersklepu, gdzie wiszą cudowne sukienki. Podchodzi do mnie grubawa sprzedawczyni.

– Który numer? – pyta.

Na jawie to wiem, że numery zaczynają się od czterdziestki, ale w marzeniu jakimś – bardzo proszę.

– Trzydzieści sześć – odpowiadam. Wchodzę do przymierzalni, wkładam tę śliczną sukienkę numer trzydzieści sześć i jak wyglądam? Znakomicie! Tylko kolor jakiś taki... A obok wisi cudowna koralowa sukienka z cieniutkiego jedwabnego aksamitu... Więc zwracam się do grubawej sprzedawczyni i proszę o koralową. Niestety, mówi grubawa, koralowe są tylko w większych rozmiarach, od czterdziestki wzwyż...

Dzwonek do drzwi. Grubawa ze sklepem pryska jak bańka mydlana. No i proszę, jednak nie starcza mi wyobraźni! Zawsze wiedziałam, że zmiany na poziomie fizycznym występują dopiero później. Podnoszę się – a to Ula. Prosto z pracy, więc nie skorzystała z furteczki w ogrodzie.

– Co robisz?

Zasłaniam książkę, bo po co ma wiedzieć, że zajmuję się ćwiczeniem wyobraźni. Która mi tak szwankuje. Robię dla Uli herbatę – Ula nie słodzi. Nic dziwnego, że cukiernie plajtują i biedni ludzie, którzy w nich pracują, za chwilę zostaną bez pracy.

Ula pcha się na fotel, podnosi koc, książka spada na podłogę. Przepadło! Ula ogląda ją z uwagą, a następnie z taką samą uwagą patrzy na mnie.

– Czytasz to?

No, obrazków przecież nie oglądam. Kiwam głową, co może znaczyć, że doprawdy nie wiem, skąd ona się tu wzięła, oraz że nie czytam, bo ktoś mi podłożył, ciekawe kto, oraz może czytam, a może nie, co to ciebie obchodzi.

– Nie – mówię – tak sobie przeglądam.

– Ty chyba zwariowałaś całkowicie – mówi Ula. – Ty wierzysz w takie bzdury?

Naprawdę ta Ula to w ogóle pozbawiona jest duchowości. Kompletna materialistka. Jak jej wytłumaczyć, że organizm jest sam w sobie zupełnie mądry i wie, czego mu trzeba? Że niech tylko sobie człowiek wyobrazi, że jest szczuplutki, a organizm w mig to podchwyci?

– Jadłaś sernik – mówi oskarżycielskim tonem Ula.

No słowo daję, już wolę, jak dzwoni Moja Mama. Ona przynajmniej nie widzi przez telefon, co jem.

– Sama przyniosłaś – warczę.

Taka właśnie jest przyjaźń. Najpierw ci coś dobrego dają, a potem mają pretensję, że to zużywasz zgodnie z przeznaczeniem.

– Dobry, nie?

No tak, moja wyobraźnia zaczęła działać, bo Ula wcale nie jest oskarżycielska, tylko uśmiecha się do mnie.

– Pyszny.

– Zostało ci trochę?

Zasadniczo nie zostało. To znaczy, owszem, jest tam w kuchni w szafce jeszcze mały kawałeczek, ale na pewno już go nie można podzielić na dwa kawałeczki. To prawie tak, jakby go w ogóle nie było. Ale z drugiej strony to przecież teściowa Uli go piekła, a Ula przyniosła mi prawie pół blachy. Czyli że właściwie powinnam ten maleńki, prawie niewidoczny kawałeczek sernika szybko położyć na talerz i podsunąć Uli. A jeśli Ula chciała go jeść, to dlaczego mi przyniosła? A kto daje i odbiera, ten się w piekle... Piekło składa się na pewno z mnóstwa kawałeczków sernika, do których normalny grzesznik nie może się dostać. Widzę Ulę w tym piekle w otoczeniu smakowitych, zarumienionych, pokrojonych kawałków, z których wystają cudowne rodzynki, i wyciąga rękę, ale one wszystkie są bardzo...

– Zostało ci trochę?

No cóż, idę do kuchni i kroję tę maleńką resztkę sernika. Wypada po dwa i pół kawałka na głowę. Przynoszę. Daję.

– Cudowny. W domu nie jadłam, bo on by się śmiał.

On, to znaczy Krzyś. Biedna Ula. Powiedziała mężowi o wszystkim. I teraz on się z niej śmieje po kątach. Nie to co mój Adam, który by się ze mnie jawnie naśmiewał, gdyby mu Tosia powiedziała o mojej diecie. Ale po ślubie jest zawsze gorzej.

– Wiesz – Ula jest zadumana – ja to nie mam teraz lekko. On się zapisał na siłownię, żeby nie być gorszy ode mnie...

– O rany!

– A ponadto wykupił karnety na basen i będziemy dwa razy w tygodniu pływać... Mówi, że to wspaniale, że go zmobilizowałam. Zażyczył sobie również zdrowej kuchni. To już koniec. Mogę sobie powyobrażać, że jestem wolną kobietą...

Ula wychodzi, ja zostaję z książką *Wyobraź sobie, że jesteś szczupła* i psem Borysem Własnym, który sobie wyobraża, że na pewno będę się z nim ganiać po ogrodzie, mimo że dzisiaj jest chłodno. Kto to widział taką temperaturę w połowie września?

Mogę sobie spokojnie wyobrazić, że Niebieski również chce mnie zdopingować. Na przykład dzisiaj wróci, otworzy drzwi, czule się przywita z Borysem, mnie może też pocałuje i oświadczy, że właśnie będziemy chodzić o siódmej rano na basen. Po południu na siłownię. Oraz że mnie zapisał na aerobik. I będziemy jeść tylko warzywka, bo został weganem. Boże drogi, co mam mu zrobić na obiad? Z warzywek jest tylko seler, a w końcu, jeśli podjął taką decyzję, nie powinnam mu utrudniać!

Idę do kuchni i smętnie ścieram na tarce tego selera, potem duszę na patelni beztłuszczowej, niech ma, kurczę, skoro podjął decyzję o nowym życiu. Obieram ziemniaczki i rozmrażam groszek zielony. Bardzo proszę. O mężczyznę też trzeba czasem zadbać.

Tosia przychodzi ze szkoły pierwsza. Wita się z psem i krzyczy od drzwi:

– Ja nic nie jem, bo się odchudzam!

Adam przychodzi o czwartej. Całuje mnie, po czym gna do kuchni, podnosi pokrywkę i mówi troszkę rozczarowany:

– Ale pachnie! Dzisiaj zdrowo się odżywiamy?

Więc patrzę na niego z pretensją i mówię:

– Ale na basen o siódmej rano na pewno nie będę z tobą chodzić!

I wtedy dopiero orientuję się, że z moją wyobraźnią wszystko w porządku. A nawet jeszcze lepiej. Spokojnie mogę sobie wyobrażać, że jestem szczupła!

Wszystko się wyda

Unikam Adama. To zresztą nietrudne, bo Adam unika mnie. Boję się spojrzeć prawdzie w oczy. Bardzo dużo pracuje, a jest przecież lato.

Boję się każdej rozmowy z nim. Nie wiem, w którym momencie wszystko się wyda. W banku odmówili pożyczki.

Droga Redakcjo,
czy mamy szansę mieć wspólne konto, choć nie jesteśmy małżeństwem?

Droga Pani,
nietrudno otworzyć wspólne konto. Trzeba udać się do banku we dwoje, wypełnić odpowiednie formularze, podpisać umowę i złożyć wzory podpisów. Bank wyda wam dwie karty identyfikacyjne oraz dwie książeczki czekowe, a po pewnym czasie otrzymacie też dwie karty magnetyczne do bankomatów. Jeśli posiadacie wspólne konto, macie większe szanse zaciągnięcia kredytu bankowego...

Niestety nie możecie tego zrobić, jeśli jedno z was nic o tym nie wie.

Bywa, że partner (albo partnerka!!!) okazuje się człowiekiem lekkomyślnym, rozrzutnym i zacznie szafować pieniędzmi bez opamiętania. Istnieje niebezpieczeństwo, że bez twojej wiedzy podejmie z konta wszystkie oszczędności. Jeżeli zdecydowałaś się na wspólny rachunek, nie masz możliwości zabezpieczyć się...

Mój Ojciec dał te dwa tysiące, ale potrzebuję więcej! Wróciłam do domu i zastałam Adama przed telewizorem, a Tosię stojącą nad stołem. Wymiana zdań między nimi musiała trwać od jakiegoś czasu, bo Tosia była w moim ulubionym nastroju, to znaczy: wszyscy jesteście nienormalni.

– Mamo, powiedz mu, jak się nazywają takie małe – Tosia zawiesiła głos – no, takie niewielkie w gazecie.

– Artykuły? – zapytałam pojednawczo.

– O Jezu – Tosia wzniosła wzrok do nieba. – Nie artykuły, tylko takie małe czarne...

– Ogłoszenia? – Adam też podjął wyzwanie.

– No nie wiecie? Takie małe czarne w gazecie?

– Literki? – nie dawałam za wygraną.

– Nie literki, kurczę, malutkie, ale takie większe, takie z aplikacjami, z krzyżykami

– Hafty? – zapytał Adam i ściszył telewizor.

Tosia pokręciła głową ze zniecierpliwieniem i wpuściła Borysa do pokoju.

– Może tytuły?

– Nie tytuły, tylko takie inne...

– Jakie inne?

– Jesteście nienormalni, nie wiecie, o czym ja mówię, takie małe, czarne, o śmierci!

– Nekrologi?

– No! W ogóle się nie można z wami dogadać... – Tosia odwróciła się na pięcie i poszła do siebie.

– A po co ci nekrologi? – krzyknęłam za nią.

– Jeśli chodzi o mnie, mogę ci treść swojego podyktować, ale nie licz na to, że przez następnych trzydzieści, czterdzieści lat wykorzystasz! – krzyknął Adam.

– Bo zapomniałam, jak się to nazywa! – odkrzyknęła Tosia.

Weszłam do kuchni, umyłam ręce i zaczęłam kroić mięso na jutro. Adam przyszedł za mną i objął mnie – zapomniałam, jak to wygląda – i powiedział:

– Judyta, co się z tobą dzieje? Nie chcesz ze mną pogadać? Masz jakieś kłopoty? Mieliśmy ze sobą o wszystkim rozmawiać...

Zaraz ocierał mi się o nogi, Potem cierpliwie wspinał się na moje łydki. Przełożyłam mięso do miski i opłukałam ręce. Adam pociągnął mnie do pokoju. Za chwilę usłyszałam tupot nóg ze schodów i trzaskanie lodówki w kuchni. Przypomniałam sobie o zostawionym mięsie i kotach.

– Tosia, przyłóż czymś! – zawołałam w stronę kuchni.

Lodówka ponownie trzasnęła.

– Jestem po prostu zmęczona – poskarżyłam się Adamowi. – Może jest jakiś sympatyczny, odmóżdżający film w telewizji?

Czarny koteczek Potem wyskoczył z kuchni z podniesionym ogonem i schował się pod kaloryfer. Tosia jeszcze raz trzasnęła drzwiami lodówki i znowu jej nogi zatupotały na schodach. Adam patrzył na mnie tak, jak już dawno nie patrzył.

Podniosłam się i weszłam do kuchni. Na blacie siedział Zaraz i spokojnie wyjadał z miski schab. Nie można liczyć na to, nawet jeśli się ciężko pracuje, że ktoś ochroni mięso. Zrzuciłam Zaraza i powlokłam się do Tosi.

– Tosia, przecież prosiłam cię, żebyś przyłożyła czymś mięso! Zaraz wrąbał prawie całe!

Tosia siedziała nad książkami.

– Przyłożyłam Potemowi! – powiedziała, patrząc na mnie z niebotycznym zdumieniem.

– Nie miałaś przyłożyć kotu, miałaś czymś przyłożyć mięso, żeby się nie mogły dostać do miski!

– Aha... – Tosia wsadziła sobie kawałek żółtego sera do ust. – To ja cię nie zrozumiałam. To znaczy, Potem niepotrzebnie oberwał.

I wróciła do książek. Od czasu, kiedy Jakub powiedział, że lubi mądre kobiety, Tosia w piorunującym tempie postanowiła nadrobić zaległości. Zeszłam na dół.

– Zamówiłem dla Szymona komputer – powiedział Adam i zmienił program.

Prawie zemdlałam, ale nic po sobie nie dałam poznać. Jedyna moja nadzieja w Arturze. Tylko on ma pieniądze. Poproszę go, mimo że nie jesteśmy w tak bliskich kontaktach. Dzwonię do Renki.

Nawet nie pytam Tosi, co w szkole, i zmywam naczynia. Kręcę się chwilę po kuchni, a potem niedbale mówię, że idę do Renki.

– Przecież chciałaś spokojnie spędzić wieczór w domu, przed telewizorkiem – mówi Adam, i widzę, że nie jest zadowolony. Ale nie mam wyjścia. Muszę na jutro pożyczyć te trzy i pół tysiąca, choćbym miała zdechnąć. Więc wychodzę.

Za torami wpadam w dół, moje śliczne zamszaczki z zeszłego roku są utytłane w czerwonej glinie. Przeklinam dół, dom pod lasem, późną porę, pieniądze, długi, banki i komputery. Proszę Artura o dyskrecję. Wypisał mi czek, powiedział, że oddam, kiedy będę mogła, podziękowałam i radosna wróciłam do domu. Adam siedział przed komputerem, już zajęty, włączyłam swój i siadłam do komputera.

Droga Redakcjo,
mój mąż mnie zdradza. Wiem o tym na pewno, zmienił się, już nie jest taki jak dawniej. Dość późno wraca z pracy, a kiedy dzwonię do niego, to nikt nie odbiera. On na pytanie, dlaczego nikt nie odbiera, mówi, że już nie pracują sekretarki. Ale ja wiem, jak to się zaczyna. Powoli wpadam w nerwicę, wącham jego ubrania, sprawdzam notatki w kalendarzu, przeglądam jego rzeczy. Coś się między nami popsuło, ale lepsza od niepewności jest

wiedza. Posunęłam się do tego, że podjechałam wieczorem pod jego biuro. Był tam, ale to o niczym nie świadczy. Nie wiem, co mam robić. Jestem zrozpaczona, za wszelką cenę chcę uratować nasz związek.

Matko moja, nie wytrzymałabym z taką kobietą na miejscu tego faceta. Jak można tak bardzo nie mieć zaufania do partnera, żeby szukać dziury w całym? Przecież jeśli jej jeszcze nie zaczął zdradzać, ona go do tego doprowadzi bez wątpienia.

Dzwoni telefon. Podnoszę słuchawkę. Męski chropawy głos.

– Chciałbym zamówić wywożenie szamba.

– Cieszę się – mówię idiotycznie.

– Podaję adres...

– Ja nie wywożę szamba.

– Pani, mnie się przelewa! Wiem, że jest późno, ale jakbyście rano przyjechali...

– To numer prywatny – odpowiadam i odkładam słuchawkę. To kolejny pomyłkowy telefon. Niech szlag trafi Telekomunikację...

Droga Pani,

w prawdziwym, dobrym i partnerskim związku najbardziej liczy się zaufanie. Dorośli ludzie nie mogą się kontrolować. Mam wrażenie, że szuka Pani usprawiedliwienia dla swojej podejrzliwości, dowodów na zdradę. Przy takim stopniu nieufności mąż musi się od Pani odsuwać. Napięcie i podświadoma niechęć Pani do niego gmatwa dotatkowo sytuację...

No i proszę, potrafię rozsądnie, bez emocji odpisywać na listy. A może to prawda, że on ją zdradza? Kobiety mają intuicję, a ja tu jej będę zasuwać głodne kawałki o zaufaniu i spojrzeniu na siebie... Telefon. Tym razem do Adama.

Rozmawia przez chwilę, jest zatroskany.

– Muszę jechać do radia – Adam patrzy na mnie i zaczyna ściągać z siebie domowe ciuchy. – Koleżanka zaczęła rodzić, Konrad musi wyjść za dwie godziny. Wrócę po drugiej. – Podchodzi do mnie i całuje mnie w ucho. – Nie musisz się niczym martwić – dodaje i wkrótce słyszę trzask bramy.

Chwilę później zeszła z góry Tosia.

– Wiesz, co to jest podwójna przedstawicielka drobnego pieczywa? – zapytała.

– Nie wiem.

– Oj, mamo, zastanów się.

Nie miałam siły się zastanawiać. Mogłam się tylko zastanawiać nad tym, co Adam powiedział. Dlaczego powiedział, żebym się nie martwiła? Nigdy tak nie mówił. Czy mam wobec tego powody do zmartwienia?

– Bibułka!

– Nie mam – odparłam machinalnie.

– Podwójna przedstawicielka drobnego pieczywa to bibułka! – Tosia patrzyła na mnie jak na ćwierćinteligentkę. – Jakub wiedział. A naród zawodowego żołnierza?

– Tosia! – jęknęłam rozpaczliwie. – Nie dzisiaj.

– Trepanacja. Z tobą w ogóle nie ma kontaktu. Idę spać. Adam gdzieś pojechał?

– Do radia.

– Przecież nie ma dzisiaj dyżuru...

Tosia wzięła Zaraza na ręce i poszła do siebie. Wyłączyłam komputer i nalałam sobie wody do wanny. Lato przeszło. No rzeczywiście, nasze lato miało być niezapomniane i na pewno nigdy go nie zapomnę. Dwa w dni w Berlinie zniszczyły mi wszystko. Dlaczego mam się nie martwić?

Mężczyzna, który spędza zbyt dużo czasu poza domem, nie lubi tego domu. Dlaczego Adam tak nagle ma tyle pracy? Położyłam się w wannie i przymknęłam oczy. Powinnam mu o wszystkim powiedzieć. Od drobnych niedomówień zaczynają się prawdziwe problemy. Ale on nie podejrzewał nigdy, że mogę być aż taką idiotką. I to były nasze pieniądze, a nie moje, nie miałam prawa tego robić. I rzeczywiście unikam go, bo boję się teraz wszystkiego. To do niczego nie doprowadzi. Leżę w tej wannie, dopóki woda nie robi się chłodna. Wchodzę do pustego łóżka i robi mi się smutno. Borys leży na dywaniku, już się do nas nie pakuje. A potem postanawiam, że to ja muszę coś zmienić, i zasypiam.

*

– Czy ty, mamo, kiedyś policzyłaś, ile zjadłaś zwierząt w ciągu swojego całego życia?

Pytanie Tosi mną wstrząsnęło. Została wegetarianką, bo Jakub nie je mięsa. Oczywiście, nie jestem w stanie obliczyć wszystkich zjedzonych przeze mnie zwierząt, ale prawda jest szokująca.

– W ciągu ostatniego roku zjadłaś spokojnie ćwierć małego cielaka, stadko lub dwa cudownych kolorowych kurczaczków, a o befsztykach wołowych lepiej nie wspominać – ciągnęła Tosia. – Nic dziwnego, że jesteś toksyczną matką.

– A ziemniaki, które zjadam, zakwitłyby na jednym arze, gdybym je zasadziła, a nie zjadła, a cukier, gdybym go wyrzucała na podłogę, a nie do szklanki, pokryłby podłogę w całym domu – odpowiadam spokojnie. – I nie mogę tego zrzucać na toksycznych moich rodziców. To nie oni ponoszą odpowiedzialność za to wszystko.

– Eeee – Tosia nie jest zachwycona – z tobą to w ogóle nie można poważnie pogadać – mówi, sięga do lodówki po laskę zielonego selera i zaczyna chrupać.

Skończyłam odpisywać na dziewiętnaście listów, jestem wykończona, muszę mieć okulary i nie mam po co zostawać wegetarianką. Jak Adam się dowie, co zrobiłam, to po prostu odejdzie. Dzwonię do Uli, która obiecuje, że wpadnie wieczorem. Ale wpada natychmiast. Prawdziwa przyjaźń nie zważa na błędy w żywieniu, tylko na duszę. A moja dusza, przykryta kilogramami do zrzucenia, wyje. Ula przygląda mi się ze zdumieniem.

– Jakie pół krowy?

– Nie pół, tylko ćwierć. Uczestniczę w zabijaniu, biorę żywy udział w marnotrawieniu, przerabiam żywe ptaszki na udka z ananasem i kiedyś musiał przyjść taki moment, że mi to ktoś uświadomił.

– Zostajesz wegetarianką? – pyta Ula. – Możemy się tak umówić.

Nie wiem, kim zostaję. Zostaję samotną kobietą. Oszukałam mężczyznę, którego kocham...

Ula mnie nie zrozumie. Nikt mnie nie zrozumie. Zawsze tak będzie. Co z tego, że nie jestem sama, skoro będę za chwilę? Moja własna córka robi coś ze swoim życiem, a mnie nie stać nawet na mały konstruktywny krok.

Ula również jest przytłoczona życiem. Postanawiamy włączyć telewizor. Na ekranie same szczupłe kobiety. Które piorą w najlepszych proszkach. Używają najcieńszych podpasek. Myją śnieżnobiałe zęby. Brudzą się, rozlewają różne soki na siebie i otoczenie, a potem przeciągają się estetycznie przy pralce. Albo przy lodówce. Albo podają mężom tłuszcz, który się lekko rozsmarowuje na chlebie. Albo jedzą coś lekkiego – co ma tylko dwie kalorie. Albo w minispódniczkach donoszą piwo. Na długich, szczupłych nogach. Skaczą na spadochronie, a przecież i bez spadochronu popłynęłyby pogodnie w przestrzeń, bo nie ważą nic. Wyłączamy telewizor.

Ula sięga w stronę miseczki i chrupie orzeszka solonego – milion kalorii. Sięgam i ja.

– Widzisz? – mówię.

– Widzę – mówi Ula. – I wiesz co? To ja już wolę spędzać życie na czym innym. I tobie też radzę się tym zająć.

Ale czym? Czym? Defraudacją? Oszustwami? Papraniem i praniem? Przebieraniem się i donoszeniem alkoholi? Żuciem najlepszej gumy do żucia – pod warunkiem, że w pasie masz pięćdziesiąt trzy centymetry? To przecież nam się nie należy!

– Wiesz co? – mówi Ula. – Głupie jesteśmy. Podatne na reklamę jesteśmy. Ot i cały problem. Jakbyś nie oglądała telewizji, byłabyś szczęśliwą, niezakompleksioną kobietą. Zastanów się, kto lansuje anorektyczny styl życia? I bogactwo, które jest ważniejsze niż wszystko?

Jedno jest pewne – nie ja.

– A tymczasem – Uli błyszczą oczy – to w ogóle nie chodzi o to, żeby tak wyglądać!

Nie o to! To jest bardzo ciekawa teoria, która niestety nie ma pokrycia w rzeczywistości.

– A o co?

– Z grubsza chodzi o to, żeby być szczęśliwym – mówi Ula i sięga po następnego orzeszka.

– Czy ty widziałaś kiedyś szczęśliwą grubą osobę? – Bo o grubych oszustkach finansowych nie chcę wspominać.

– Widziałam modelkę, która mówi, że od siedmiu lat jest na diecie, ale kariera krótko trwa, więc kiedyś, w przyszłości, będzie się mogła nareszcie normalnie odżywiać. Chciałabyś tak? Chude służy do tego, żeby uszczęśliwiać innych – kontynuuje wesoło Ula. – A życie naprawdę polega na tym, żeby uszczęśliwiać siebie. Wtedy inni też skorzystają.

Zjadła orzeszki i poszła.

Zasiadłam ponownie do bilansu całego roku. Zostawiłam w spokoju statystykę, krowy, kurczaczki i cukrownie. Owszem, wyglądam tak, jak wyglądałam, tylko że jestem o rok starsza. Przyjaźnię się z Ulą. Jest Adam. Kocham go. Tosia wzięła się do siebie. Zrobiłam dwa swetry na drutach, boskie. Cieszyłam się, jak Ewa kupiła sobie nowy samochód, i płakałam, jak Martę porzucił facet. Spotkałam się niezliczone ilości razy z przyjaciółmi. Dzwonię do Mojej Mamy. Nie jest źle.

– Nie jest tak źle – powtarzam głośno.

– Nie jest z tobą dobrze – Tosia jak duch znalazła się w pokoju i w ogóle tego nie zauważyłam. – Nie możesz udawać, że wszystko jest dobrze, mamo. Dam ci fajną dietę. Od tego przybywa radości życia. A poza tym zrób coś z włosami. Mogę ci zrobić kompres z oleju rycynowego.

– Jutro – krzywię się. – A poza tym czy to pomaga?

– Tak masz napisane w swojej bazie danych.

A to co innego.

Tęsknię za nim

Jakiś worek z niedobrą pogodą się rozdarł. Leje od tygodnia, Adam pojechał służbowo do Kielc na sześć dni! Nie jest to sprawiedliwe, bo więcej czasu go nie ma, niż jest. Ale może to dobry moment, żeby bez mężczyzny w domu podjąć jakąś decyzję. Podjęłam decyzję. Po pierwsze – rzecz jasna, te cholerne warzywka. Po drugie – dzień bez stresu. Po trzecie – odrobina dbałości o wygląd zewnętrzny – odżyweczka na głowę z oleju rycynowego z cytryną – bo nie ma, jak stare przepisy. I potem, jak już będę śliczna, to się z nim rozmówię. Przyznam do wszystkiego. Wzięłam dzień wolny, żeby pracować w domu. Więcej zrobię. Bardzo proszę, czas pracy nienormowany, mogę sobie siedzieć głodna przy komputerze z olejem na głowie. Czemu nie? Po śniadaniu. Na śniadanie gorzka herbata. Ale już niedługo obiad. Na obiad – dwie gotowane marchewki, surówka ze startego selera, dowolna ilość sałaty z łyżeczką oliwy. Bez soli. Fantastycznie. Za to mogę pić dużo wody niegazowanej. Bardzo proszę. Zaczynam. Cztery buteleczki·oleju rycynowego, cytryna, witamina E. Folia na łeb. Siadam do komputera. No, będę śliczna za cztery tygodnie! Leci przynajmniej osiem kilo, włosy nabierają blasku i tak dalej. Wtedy, nawet jak o wszystkim powiem Adaśkowi, on spojrzy na mnie i jego serce roztopi się jak świeże masło na patelni. Pomyśli: Jutka jest tak śliczną kobietą, nie szkodzi, że narobiła głupstw. Innej takiej przecież nie znajdę. Choć z drugiej strony jest to wystarczająca zachęta, żeby odejść.

Pić mi się chce. W lodówce ani kropli wody niegazowanej. Nawet bym się zdziwiła, gdyby tam była, bo jej nie kupowałam. Ani jednej marchewki również. To znaczy marchewki są, ale mają pleśniawki, biedactwa. Nie pamiętam, kiedy je kupiłam. Może Adam złośliwie mi wrzucił do lodówki. Wyrzucam. Folia zsuwa mi się z głowy. Poprawiam. Jestem głodna. Wypijam pół szklanki wody z kranu. Trujące obrzydlistwo. Siadam do pracy. Stawiam szklankę z trującym obrzydlistwem i siadam wygodnie w fotelu. Z włosów kapie. Oliwa miękko spływa mi za uszy.

Droga Redakcjo,
boję się, że zaniedbałam nie tylko swoją duszę, ale swoje ciało, czy moglibyście podać mi wyliczenia kalorii...

Droga Pani,
podaję wartości kaloryczne następujących potraw:
10 deka schabu...
10 deka rolady...
10 deka dziczyzny...
10 deka...

Po czterech godzinach wstaję od komputera. Jestem głodna. Słabo mi. Dzwoni Renka.

– Judyta! – mówi płaczliwie. – Wiesz, co on zrobił?

Nie wiedziałam, ani kto, ani co.

– On wyjechał, a ja jestem chora – zajęczała w słuchawkę telefonu Renka.

– Co musisz zrobić?

Przez tę cholerną folię, która miała mnie zabezpieczyć przed inwazją oleju rycynowego, źle słyszałam. W brzuchu mi burczało z głodu.

– Nic nie muszę, po prostu źle się czuję...

– Może wpadniesz? – zaproponowałam, a potem krzyknęłam: – Zadzwonię za chwilę! – ponieważ poczułam, jak olej rycynowy spływa mi na plecy.

– Ja? – zdziwiła się Renia. – Przecież nie mogę... Jestem chora... Przyjdź ty.

Nie próbowałam nawet wyjaśniać, że zaczęłam nowe życie. Powiedziałam, że będę, bo co miałam powiedzieć. Weszłam pod prysznic i próbowałam zmyć olej rycynowy. Poszła prawie cała butelka szamponu. Myślę, że to, co odżywił olej, zostało zniwelowane w poważnym stopniu przez dwieście mililitrów szamponu i cztery kolejne mycia. Wysuszyłam włosy. Wyglądałam jak nieszczęście. Byłam głodna.

Mój pies Borys patrzył na mnie z lekceważeniem. Wtedy właśnie poczułam, jak ogarnia mnie depresja.

– O Boże, ale ty wyglądasz! Czy coś się stało? – przywitała mnie w drzwiach Renka, rzeczywiście lekko zakatarzona. – Mam pyszne serdelki zapiekane z żółtym serem, zjesz ze mną?

Mój żołądek donośnie zawył – chcę serdelka!

– Nie, dziękuję, jestem na diecie – powiedziałam, wijąc się z pożądania.

– Chyba zwariowałaś! Miałyśmy dietę zacząć razem. To przecież ja cię do tego namawiałam – Renia wyraźnie miała do mnie pretensję.

No rzeczywiście, miałyśmy razem. Moje mocne postanowienie zostało troszkę nadwerężone. Najlepiej by mi zrobił kieliszek koniaku, ale przecież jestem na diecie.

– Napijesz się czegoś?

– Piję wodę – wysyczałam przez zaciśnięte gardło.

– Ale ty niesympatyczna jesteś. – Renia wyjęła szklanki. – Może jakbyś umyła głowę, toby ci pomogło. Strasznie masz tłuste włosy.

Wtedy nie wytrzymałam. Diabli nadali olej rycynowy zewnętrznie, marchewki, selery, koleżankę bez koniaku i z parówkami! Bez stresu! Jak mam przeżyć dzień bez jedzenia, bez picia i w dodatku się nie denerwować?

– To daj koniaku – powiedziałam przez zaciśnięte zęby.

– Nie piję – powiedziała Renia, a mnie zamurowało.

No cóż. Jedno jest pewne. Po zjedzeniu paróweczek zdecydowanie mi się polepszył charakter. Wróciłam do domu w świetnym humorze. Ostatecznie, najważniejsze, że trochę pocieszyłam Renię. Że już nie chce nikogo rzucać. A poza tym ten cały pomysł z odchudzaniem się przed świętami doprawdy był nie najlepszy. Renia teraz też chce żyć normalnie. Choć do świąt znowu nie tak blisko.

*

Nie wytrzymam dłużej tego wszystkiego. Przyszedł rachunek za elektryczność i widzę, co pieniądze (te do wydania) ze mną robią. Powiem o wszystkim Adamowi. Trudno. Tęsknię za nim.

Adama nie ma już czwarty dzień. Dlaczego ja nie mam takiej pracy, żebym sobie pojechała do Kielc służbowo? Bo jestem za gruba. Stoję przed lustrem i doprawdy nie widzę tam nic ciekawego. Oprócz mojego psa Borysa, który też stoi, tyle że tyłem do lustra, bo przodem do mnie. Patrzę na siebie i patrzę, i oto dochodzę do wniosku, do którego już dawno powinnam była dojść, gdyby moje półkule prawidłowo pracowały. Nic się nie da zrobić.

Dzwonię do Renki i mówię, że wszystko na nic. Nie będę się oczyszczała ani głodziła, ani trenowała.

Renka jest nadal zakatarzona i szybko mówi, żebym przyszła. Mówię, że nie dość, że nie będę się oczyszczała, trenowała, głodziła, to jeszcze nigdzie nie będę chodziła, bo te wieczne ploty to strata czasu. I odkładam słuchawkę.

Jest mi świetnie, po prostu znakomicie. Nigdzie nie jest powiedziane, że mam wyglądać na lat dwadzieścia trzy i mieć pięćdziesiąt kilo niedowagi. Nigdzie! I nigdzie nie jest powiedziane, że muszę być doskonałą partnerką, która nie robi żadnych głupot.

Za pięć minut dzwonek do drzwi. Otwieram. Renia. Włos szalony, suknia rozwiana. Obłęd w oku. Kurtka rozwiana, rzecz jasna, bo Renia na dresik narzuciła kurtkę.

– Jezu, co się stało? – pyta.

A co się miało stać? Nic się nie stało. Nigdy mi się nic nie udaje. Borys też by mnie sobie zamienił na kogoś innego, tylko nie ma biedaczek takich możliwości.

Renka jest wstrząśnięta. Nie wiem dlaczego. Czas spojrzeć prawdzie w oczy.

– Ubieraj się szybko – mówi – idziemy do mnie na obiad.

Jeszcze czego. Żeby patrzył na mnie jej mąż i porównywał. Niech sobie sama idzie na obiad i je, aż pęknie. I będzie taka gruba jak ja. Renka wiesza kurtkę w przedpokoju i wchodzi do kuchni. A niech mnie! Niech sobie idzie do swojego męża i do swojego obiadu, wcale nie mam zamiaru wysłuchiwać pouczeń.

I tego, że wszystko ode mnie zależy. I że wystarczy pomyśleć pozytywnie. Bo Renka ostatnio mówi, że wystarczy tylko myśleć pozytywnie. Ona jest niezrównoważona. Teraz dla odmiany, po okresie depresji, jest w świetnej formie i nie ma żadnych kłopotów.

*

O siedemnastej dziesięć dzwoni Adam. Że szkoda, że mnie z nim nie ma. I dlaczego mam taki głos? Odważnie mu mówię, że właśnie podjęłam życiową decyzję i nie będę się odchudzać ani nic takiego.

— To ty się chciałaś odchudzać? — Adam jest niebotycznie zdziwiony. — A z czego?

No, masz, babo, placek. Przecież nie będę się wdawać w szczegóły, które są spore.

— Myślałem, że ty się z Renką umawiasz dla przyjemności, że lubisz tenisa i w ogóle. Przecież ty jesteś w sam raz – mówi Adaśko. Oraz dodaje, że mnie kocha i za mną tęskni.

*

Przyjechał Adam. Bardzo za nim tęskniłam. Wciągnęłam brzuch i przywitałam się. Serdecznie.

— Co ty taka dziwna jesteś? – zapytał, kiedy przysiadłam na oparciu fotela koło niego. I zrobił coś, o czym marzyłam przez ostatnie parę tygodni. Powiedział ,,chodź" i pociągnął mnie na kolana. Podskoczy-

łam jak oparzona i zanim zdążyłam pomyśleć, wymknęło mi się:

– Będę ci siedziała na kolanach, jak schudnę!

– Eee – roześmiał się. – Wtedy, za te dziesięć lat,
powiesz mi, że jesteś za stara. Zawsze znajdziesz jakiś
powód do zmartwienia.

O Boże, gdyby on wiedział...

Wciąż chudnę

Chciałam z nim pogadać, ale znowu zabrakło mi odwagi. A poza tym, skoro już tylko wnętrze się liczy, a nie zewnętrze, to akurat siadłam sobie wygodnie przed uroczym harlequinowskim filmem, z mocną herbatą. Adaśko nie krył niezadowolenia. Pomyśleć, że kiedy byłam sama, to nie chciałam być sama! W telewizorze on kochał ją, a ona nie, a potem, kiedy ona jego, to on już jej nie. Ale potem kiedy nareszcie... to wtedy i on ją, i ona jego. Był to bardzo pouczający film, który bez wątpienia rozwinął moją osobowość.

— Mam nadzieję, że twoje wnętrze nie będzie wyglądać tak jak to — Niebieski machnął w kierunku całującej się na tle zachodzącego słońca pary.

Zawsze byłam zdania, że mężczyźni nie powinni oglądać filmów, tylko zajmować się czymś pożytecznym. Wbić gwóźdź albo naprawić uszczelkę. I tak od słowa do słowa — pokłóciliśmy się. On twierdził, że ja tylko markuję zdrowe życie i w ogóle, bo naprawdę i tak nic nie robię dla wnętrza. Albo chcę schudnąć, albo wyglądać ślicznie, a tymczasem chodzi o zdrowie, i co ja ze sobą robię!

Oburzyłam się wielce i z miejsca zadzwoniłam do lekarza chińskiego. Zasadniczo lekarz jest Rosjaninem, za to od medycyny chińskiej, ale mówi po polsku. Nie będzie mi nikt mówił, że nie dbam o siebie! Bardzo proszę! Właśnie że do niego pójdę i zastosuję się do wszystkich wskazówek!

Rosjanin od medycyny chińskiej przepisał mi hinduskie zioła, chińskie perły oraz dietę jak najbardziej rodzimą, która niestety nie ma mnie odchudzać, tylko odciążyć moją wątrobę zniszczoną żółtaczką. Dietę straszną, restrykcyjną, nie do zniesienia! Kaszka rano, za to z kiełkami i sezamem, sól won, ryż w południe, aloes, żadnej herbaty, kawy, warzywka, i to gotowane, do picia lipa i żeń-szeń z lukrecją.

Wróciłam do domu. Powtórzyłam zalecenia Niebieskiemu, uśmiechnął się pod nosem i powiedział:

– Rozumiem, że to nie dla ciebie.

O, nie będzie mi tutaj żaden facet mówił, co jest dla mnie, a co nie! W życiu!

– Mogę wiedzieć dlaczego?

– Bo i tak nie wytrzymasz ani tygodnia – powiedział Adaśko i zaczął czytać gazetę.

Trzasnęłam drzwiami i wyszłam do kuchni. Mężczyźni nie powinni oceniać moich możliwości. Przecież spokojnie mogę jeść kaszkę i ryż, odstawić herbatę (z cukrem!), kawy i tak nie piję, to mam z głowy. Ja mu pokażę!

Spędziłam cały dzień na chodzeniu po sklepach. Przyszłam obładowana jak muł, zmęczona i znacznie uboższa – nie podejrzewałam, że maleńka torebeczka zdrowego ryżu kosztuje piętnaście złotych!

Adam popatrzył na moją żywność uważnie.

– Po co tyle tego kupiłaś? Zmarnuje się. Jutro już przejdziesz na mięseczko.

Nie odezwałam się. Nie dam się sprowokować. Udowodnię jemu i całemu światu.

Potem wróciła Tosia ze szkoły. Rozwaliła się w kuchni, spojrzała na zakupy i powiedziała:

– Po co tyle tego kupiłaś? Zmarnuje się.

Rano ugotowałam sobie kaszę jęczmienną łamaną. Bez soli. Posypałam sezamem i otrębami. Wyglądała okropnie. Wzięłam pierwszą łyżkę do ust... i wszedł do kuchni Adam.

– Ha! – powiedział.

– Dzień dobry – powiedziałam i rozjaśniłam twarz w uśmiechu szczęśliwej i zadowolonej z odmiany życia kobiety.

– Smaczne? – zapytał zdziwiony.

Kaszka rozmnożyła mi się przed oczami, miliony ziarenek zaczęły rosnąć i zapełniać kuchnię.

– Pyszne – powiedziałam i zaczęłam jeść.

Nie będzie triumfował!

*

Minęło sześć dni. Jem obrzydliwą kaszkę, nie piję ulubionej herbaty, zawzięłam się. Moje wnętrze zdrowieje z minuty na minutę. Wczoraj przyszła Renka. Zaparzyłam jej pyszną herbatkę, sobie nalałam wrzątku do żeń-szenia i lukrecji. Renka powąchała moją szklankę i wstrząsnęło nią, tak samo jak za każdym razem wstrząsa mną.

– Ty pijesz to obrzydlistwo? – zapytała wspierająco.

– To nie jest złe – powiedziałam, kłamiąc jej w żywe oczy. – Poza tym świetnie doenergetyzowuje czy coś takiego. – To już była prawda.

– Zwariowałaś czy co? – Renia była niepocieszona.

Opowiedziałam jej o chińskim Rosjaninie, o nowym życiu, o zdrowiu, o niezwracaniu uwagi na bzdety, tylko na rzeczy ważne. Oraz o Adamie, który nie wierzy w to, że mogę wytrzymać przynajmniej trzy tygodnie. Potem będę już mogła jeść gotowaną pierś kurczaka. Chyba że się okaże, iż ma priony. Lub pryszczycę. Lub coś zupełnie nowego. Przecież świat idzie naprzód. Udowodnię Adamowi, że stać mnie na wszystko.

Renka, popijając pyszną herbatę, nagle się roześmiała radośnie.

– To on ciebie normalnie podpuścił, a ty się dałaś tak nabrać! – wykrzyknęła.

I poszła.

A we mnie się aż zagotowało. Tak się dałam podejść! Męczę się nieludzko tylko dlatego, że dałam się wmanipulować w kaszkę mężczyźnie! Oczywiście, że dałam się podprowadzić jak dziecko we mgle! Wykorzystał to, co mówię, do swoich celów! O, nie będzie mną żaden facet manipulował!

Kiedy wrócił z pracy, właśnie smażyłam (nie wolno!) na głębokim oleju (nie wolno!) udka kurze (nie wolno!) z curry (nie wolno!).

– Szybko ci przeszło – powiedział Adaśko.

I już, już chciałam powiedzieć, że nigdy więcej nie dam podpuścić, kiedy nagle spłynęło na mnie olśnienie.

– To przecież dla ciebie – powiedziałam i nakryłam do stołu.

On dostał udko, ja ryż z gotowaną rzodkiewką, marchewką i burakiem. Bez soli. Ohydne.

Uśmiechnęłam się i zaczęłam jeść. Ale miał głupią minę! Tosia wcięła dwa uda kurze i zakazała wspominać o tym Jakubowi. Jakbym nie miała nic lepszego do roboty, tylko informowanie go o jadłospisie Tosi. Tosia zresztą jest dumna z mojej diety, jak sądzę. Spojrzała z obrzydzeniem na mój talerz i powiedziała:

– Trzeba schudnąć, by móc tyć swobodnie.

– Daj matce spokój – powiedział Adam.

A więc już do tego doszło, że jest mu obojętne, jak wyglądam.

Ząb i dentysta

Czy są na tym świecie jakieś mądre i przewidujące osoby? W każdym razie ja do nich nie należę. Jeśli z czymś mi się kojarzą takie mądre i przewidujące osoby, to z zębem. Nigdy nie doświadczają bólu – zanim ząb zaatakuje, to one, myk – już są u dentysty.

Ze mną dzieje się wręcz przeciwnie. Taki ząb najpierw delikatnie przypomniał o sobie, że jest. Głupia nie jestem, wiem, że w tym miejscu siedzi od ładnych paru lat, więc go zlekceważyłam. Mógł się poczuć obrażony, bo zamilkł, jakby go w ogóle tam nie było. Przyjęłam ten fakt z zadowoleniem. Odnotowałam w pamięci krótkotrwałej, że kiedyś, w jakiejś bliżej niesprecyzowanej przyszłości, trzeba by iść do dentysty. Ale potem sobie pomyślałam – czy to ja już nie mam gdzie chodzić? Ostatecznie jest dużo innych miejsc na tym cudnym świecie. Ząb jakby zapadł się pod ziemię, a mnie życie wzywało.

Tak mnie wzywało i wzywało, aż pewnego ranka obudziłam się i poczułam. Przejechałam po nim językiem na powitanie, nie złagodniał. Och, ty – pomyślałam. Wypiłam gorącą herbatę – zbuntował się. Aż zazieleniało mi pod powiekami. Dobrze, zwyciężył. Nalałam do herbaty zimnej wody – uspokoił się. Postanowiłam go zaafirmować. Jesteś moim kochanym ząbkiem. W ogóle mnie nie bolisz. Jesteś zdrowy. Musiał zrozumieć, bo ćmił tylko.

W sobotę udałam się z Adamem na przyjęcie do jego przyjaciół z radia, zjadłam tam milion kalorii – a wierzcie mi, w ogóle ich nie było widać – ukrytych sprytnie w kremówce. Postanowiłam przechytrzyć mój ząb i jadłam lewą stroną buzi. Niestety, okazał się sprytniejszy. Wierzgnął na krem i wbił mi szpikulec w szczękę. Pobiegłam do łazienki i długo płukałam usta letnią wodą. Letnią, bo na zimną ząb krzyknął – nie! I dał mi kopniaka prosto w prawą stronę żuchwy.

Po przyjściu do domu wzięłam przeciwbólowe. Oraz przysięgłam mu, że w poniedziałek skoro świt idę do dentysty. Ucieszył się i przestał wyczyniać cuda. Ten poniedziałek miał miejsce dwa tygodnie temu.

Ale czy to moja wina, że ząb mi w ogóle o sobie nie przypomniał?

Przedwczoraj wziął ciężki młot i zaczął regularnie uderzać. Tabletki przeciwbólowe odpychał zdecydowanie. Posunęłam się do tego, że próbowałam go upić. Poszłam do Uli na koniaczek. Wypiłyśmy pół butelki, bo to jest dobra przyjaciółka, i ząb został zgłuszony. Spałam znakomicie.

Rano obudziłam się z potężnym kacem. Niestety kac był niczym przy bólu zęba. Pod powiekami błyskało, ząb oszałał. Rozbijał się. Podskakiwał. Wziął świder i próbował wkręcić mi się do mózgu. Pojechałam na *cito* do dentysty. Spojrzał na mnie ze współczuciem.

– Ale długo pani czekała, szkoda, rwiemy.

Długo? No wiecie państwo, przecież już następnego dnia się u niego znalazłam! Od przedwczoraj do dzisiaj to długo?

Rozstanie z zębem było bolesne. I na dodatek mam przyjść jeszcze raz.

Trzeci dzień biorę przeciwbólowe. Rana krwawi. Serce krwawi. Nie lubię rozstań. Ach, jakaż byłam nierozsądna! Byłby ze mną, gdybym go nie zaniedbała!

I tak zastała mnie Anita. Wpadła wieczorem, Adam w radiu, więc się ucieszyłam, Tosia w kinie z Jakubem.

– Cześć! Robert wyprowadził się do Bożeny – poinformowała mnie w progu. Moja tęsknota za ząbkiem stępiała wobec faktu wyprowadzenia się jej męża do nieznanej mi pani.

– Jezus Maria – krzyknęłam. Co tam rozstanie z zębem wobec rozstania z facetem!

– Tak będzie lepiej dla nas obojga – powiedziała Anita i wzięła na kolana mojego kota, któremu to się bardzo spodobało.

Licz tu na wierność swoich własnych, karmionych niemalże własną piersią zwierząt.

– Walcz o niego! – wybąkałam ze zdrętwiałą twarzą.

– Nie ma o co – Anita głaskała mojego kota, a on mruczał. – Od lat było coraz gorzej i gorzej. Przestaliśmy na siebie zwracać uwagę – chlipnęła. – Nawet nie wiem, w którym momencie zaczęło mi go brakować.

– Nigdy nie jest za późno – bełkotałam z przekonaniem.

– Jedyne, co teraz możemy zrobić, to w miarę bezboleśnie się rozstać. W zeszłym roku miałam dobry kontrakt i nie chciałam wyjeżdżać na urlop. Pojechał sam. Wiedziałam, że co się odwlecze, to nie uciecze. Potem przestałam mieć w ogóle jakiekolwiek plany, jeśli chodzi o nas. Ta praca w reklamie była tak fascynująca! I byłam zadowolona, że Robert nie zawraca mi głowy, że też gdzieś go nosi, że ma własne życie... Nic nie mów, tak się tylko chciałam wygadać...

Zrobiłam herbatę. Kiedy wróciłam z imbryczkiem, na kolanach Anity trzymał głowę mój pies. Nie wiedziałam, co powiedzieć.

Łyknęłam herbaty i miejsce po zębie przypomniało o sobie w sposób gwałtowny i niespodziewany.

– Źle się czujesz? – Anita spojrzała na mnie ze współczuciem.

– Miałam rwany ząb – powiedziałam cicho, żeby zęba nie drażnić.

– O, to wiesz, o czym mówię. Właśnie o to chodzi, nic nie robisz, czekasz na ostatnią chwilę, kiedy jeszcze można coś uratować, bo ci się wydaje, że masz czas. A potem tylko rwanie. Jeśli nie wyrwiesz, to jakaś zgorzel albo co...

Anita westchnęła, a mnie chwycił mróz do kości.

Czuję, że nie powinnam czekać, aż w mój związek wda się zgorzel.

A może jest już za późno na wszystko?

Ciekawa jestem, dlaczego te parenaście lat wytrzymywał ze mną Ten od Joli. Ślepy był? Przecież jeszcze rok temu wydawało mi się, że jest wszystko OK. Dlaczego nie wiedziałam od początku, że mam naturę kobiety uzależniającej się natychmiast od mężczyzny, który nawet nie może sobie kupić lepszego samochodu, a w końcu wiadomo, że inni mężczyźni mu wtedy wpółczują i on czuje się gorszy? I ja jestem przyczyną tego wszystkiego? Na pewno mu było lepiej beze mnie, tylko teraz nie wie, jak się z tego wyplątać, choć przecież już więcej czasu spędzam z kobietami i nie żądam od niego, żeby był w domu, przestał tak dużo pracować i spędzał ze mną więcej czasu?

Ale chwilowo jestem pogrążona w bólu i nie mogę myśleć o Adamie i o tym, co robić.

*

Dzisiaj znowu byłam u mojego dentysty. Uśmiechnął się na mój widok. Serduszko skoczyło trochę, bo znowu nie tak często spotykam mężczyzn, którzy by się uśmiechali na mój widok. Zęby ma piękne – dobrze trafiłam.

– Proszę się położyć – mówi aksamitnie.

Fotel leżący. Już w samym tym zdaniu, wypowiedzianym spokojnie i pewnie, czaił się dreszcz. Dreszcz przeszedł z tego zdania na moje plecy, ale się położyłam, bo znowu człowiek nie tak często słyszy podobne zdanie od przystojnego mężczyzny, który jeszcze w dodatku ma coś dobrego do zrobienia.

Położyłam się więc i czekam. Dentysta odszedł do innej Pani na innym fotelu, ale się nie zdziwiłam, bo tak już w życiu mam, że co zaufam jakiemuś mężczyźnie, to jak wyżej.

Leżę, gapię się na lampkę oraz przyrządy i słyszę w dali głos dentysty:

– Może pani zdejmie sweter, bo jest gorąco.

Nie do mnie to zdanie, tylko do tamtej. Ha, myślę sobie – nieźle się zaczyna.

Potem podchodzi do mnie. Czuję się w obowiązku natychmiast wspomnieć, że pod bluzką nie mam niczego i bluzki nie zdejmę. Uśmiecha się, a uśmiech ma boski.

– Proszę otworzyć buziaczka – mówi.

Nikt nigdy w życiu do mnie tak nie powiedział. Raczej mówiono, żebym zamknęła, i buziaczek też w takim zdaniu się nie pojawiał.

Otworzyłam. Niestety musiałam przestać mówić, co mi zawsze sprawia pewną trudność. Gmerał i gmerał w moim buziaczku, a potem westchnął:

– Szóstka też do leczenia kanałowego.

No i bardzo proszę. Człowiek przyszedł tylko tak sobie, na kontrolę, żeby zadbać o uzębienie, a mężczyzna zniszczy iluzję, oczywiście. Bardzo proszę, mam do niego pełne zaufanie, oczy mi się robią maślane, kobieta u dentysty jest kobietą obnażoną zupełnie, czyli zdaną na los.

– Przecież pani nie skrzywdzę – mówi miękkim głosem mężczyzna, i tu powinna się włączyć syrena alarmowa, bo przecież Ten od Joli też mówił, że mnie nie skrzywdzi. A komu przychodzi do głowy zaczynać znajomość od tego zdania. Czy my, kobiety, gdy spotykamy cudownego faceta, zapowiadamy mu od razu, że nie będziemy goliły się jego maszynką, że nie zobaczy nas w farbie na głowie? I nie przychodzi nam do głowy gasić papierosy na jego ramieniu? Ten oczywiście również kłamał. Zabolało jak piorun. Wbił igłę w podniebienie niewinne, aż zrobiło mi się gorąco i zaczęłam żałować, że nie mam swetra, który mogłabym zdjąć.

– Spokojnie, nic nie będzie bolało – aksamit w głosie łagodził moje cierpienie.

Może nie będzie kiedyś, w przyszłości, ale teraz bolało jak jasny piorun. Odszedł do tamtej kobiety, ja czekałam, aż nie będzie bolało. Przypomniało mi to natychmiast moje małżeństwo z Tym od Joli, i właściwie wychodziło na to, że ono głównie składało się z czekania, żeby przestało boleć. Ładna perspektywa! Ale nic to. Rzeczywiście nie minęło czasu wiele, kiedy prawą stronę twarzy mi sparaliżowało. Jako kobieta częściowo sparaliżowana zasłużyłam na jego względy, trzymał mnie w pozycji leżącej czterdzieści minut. Potem uśmiechnął się i powiedział:

– Następna wizyta w środę. Dwieście osiemdziesiąt. Dziękuję.

Po czym uśmiechnął się na widok następnej pacjentki tym samym uśmiechem, którym mnie nieledwie uwiódł. Następna pacjentka miała szczękę do wymiany i na oko czterdzieści lat więcej.

Znów coś dla siebie

Tosia pięknie wygląda, odrastają jej włosy, jakaś taka się zrobiła spokojna, szczęśliwa, dużo się uczy. Kiedy przyszłam wieczorem do Uli (Adam w radiu), pochwaliłam się swoim dzieckiem. A Ula:

– Słuchaj, powinnaś porozmawiać z Adamem o tych pieniądzach.

Po raz pierwszy od czasu, kiedy zwierzyłam się jej z interesu mojego życia, tak jawnie o tym wspomniała. Zrobiło mi się przykro. Ale Ula nie chciała mi dokuczyć. Powiedziała mi to, co wiem sama: że niedobrze jest ukrywać pewne rzeczy. I że przecież nikogo nie zabiłam, i że od tego także ma się faceta, którego się kocha, żeby rozumiał błędy. A inaczej zarżnę siebie i jego, i wszystko. Popłakałam się i, słowo honoru, zrobiło mi się lżej.

– Zrób to dla siebie – powiedziała Ula.

– Mogę w każdej chwili zrobić coś dla siebie!

– To zrób! – powiedziała Ula stanowczo.

– Mogę stanąć przed lustrem i powtarzać: to nie-prawda, to nieprawda, to nieprawda!

Ula, która właśnie przełykała łyk kawy (którą oczywiście wkrótce będzie rzucać), zaplula się radoś-nie i zapytała, czy mam również jakąś światłą radę dla niej. Jako dobra przyjaciółka powiedziałam, że owszem. Nie pozwolę jej żyć złudzeniami.

– Mogę cię postawić przed lustrem i powtarzać: to prawda, to prawda, to prawda!

Śmiałam się również, od paru tygodni po raz pierwszy radośnie. I postanowiłam, jutro wszystko powiem Adamowi.

*

Wracałam do domu późnym popołudniem. Nie mogłam czytać, naprzeciwko siedział chłopak z telefo-nem komórkowym w ręku i głośno gadał. Nie mogłam się skupić. Zastanawiałam się, jak na to wszystko, do czego się przyznam, zareaguje Adam. Ludzie wsiadali i wysiadali. W Opaczy kolejka stała chwilę dłużej. Oderwałam wzrok od okna i zobaczyłam w drzwiach bardzo starą kobietę. Gramoliła się do wagonu wolno, przed sobą trzymała chodzik, właśnie ktoś jej pomagał dźwignąć się do wagonu. Nie wiem, czy widziałam kiedykolwiek kogoś tak starego. Stare, wyblakłe oczy, które kiedyś były niebieskie, zmarszczka na zmarszcz-ce, tu i ówdzie prześwitywały między zmarszczkami brązowe plamy. Chłopak gadał. Wredny. Na pewno uda, że jej nie zauważył. Chłopak podniósł wzrok i zobaczył idącą ku naszym miejscom starą kobietę. Wstał, nie odejmując komórki od ucha. Stara kobieta usiadła i wtedy zobaczyłam zjawisko. Zjawisko miało długie nogi, podbiegało do kolejki, było blondynką i zadyszane w ostatniej chwili wskoczyło na stopień. Pociąg ruszył, a ja nie mogłam od niej oczu oderwać. Zjawisko nie dość że było piękne, to z dumą obnosiło może dwudziestoletnią, uśmiechniętą, inteligentną twarz, ale, o matko, co tam twarz! Zjawisko miało na sobie sukienkę robioną na szydełku. Żółtą. W duże dziury. Nie miało stanika. Oburzające! Choć jakbym miała takie piersi, tobym nawet sukienki z dziurami nie nosiła. Przez te dziury prześwitywało cudownie opalone, najzgrabniejsze ciało świata. Wagon zamarł, mimo że jechał.

Stara kobieta podniosła oczy. Zobaczyłam jej twarz i zmartwiałam. Zacięty wyraz, głębokie zmarszczki koło ust, kąciki opuszczone, wzrok, gdyby mógł zabijać, toby tę dziewczynę zabił. Poczułam tę niechęć starej kobiety tak wyraźnie, że mróz mi przeszedł po kościach. Dziewczyna w żółtej sukience, nie muszę dodawać, że krótkiej, jechała tylko jeden przystanek. Przecisnęła się do wyjścia i zniknęła na następnej stacji. Stara kobieta spojrzała na mnie i rozchyliła wargi. Teraz zachowam się empatycznie, ona powie coś o chamstwie, o młodzieży, co nikogo nie uszanuje, co nie potrafi, nie umie, nie wie, rozebranej, nagiej młodzieży, wystawianiu się na pokaz i tak dalej, a ja milcząco przytaknę.

A stara kobieta rozciągnęła wargi, zmarszczki się pogłębiły, wyraz jej twarzy groził morderstwem. Nachyliła się do mnie i powiedziała wyblakłym głosem:

– Mój Boże! Widziała pani? Jaka piękna młodość...

A więc żyję w iluzji. Zobaczyłam rzeczy, które nie są. Czas z tym skończyć.

*

Wczoraj w nocy wrócił Adam. Leżałam w łóżku, ale postanowiłam nie odkładać rozmowy. Wszystko jedno, o której wróci – decyzję podjęłam. Dość kłamstw.

Kiedy usłyszałam zgrzyt klucza w zamku, zapaliłam lampkę. Wszedł do pokoju i uśmiechnął się:

– Nie śpisz?

– Czekam na ciebie – powiedziałam, a on się znów uśmiechnął, i wydawało mi się, że w jego oczach zobaczyłam to, czego już jakiś czas nie widziałam, i nawet nie zauważyłam braku. Adam, zamiast iść najpierw do łazienki, podszedł do mnie i mnie ucałował. I wtedy poczułam mocny, uderzająco mocny zapach. Niestety, rozpoznałam ten zapach natychmiast.

Adam wszedł pod prysznic, a ja leżałam jak sparaliżowana. Ponieważ Adam pachniał damskimi perfumami, perfumami, które kupiłam, żeby Tosia mi położyła pod choinkę za parę miesięcy, perfumami, które wąchałam po raz pierwszy w łazience, która ma saunę, jaccuzi i fotele rattanowe.

Adam pachniał Kenzo Jungle Elephant.

*

Teraz nie mogę nikomu o tym powiedzieć. Jeśli mężczyzna wraca do domu o drugiej w nocy i pachnie damskimi perfumami, wszystko jest jasne. Nie muszę sprawdzać, kontrolować, szukać, grzebać w jego rzeczach i pytać przyjaciółek o radę. Szczególnie, jeśli jedna z nich używa takich perfum.

Jestem jak martwa i nie wiem, co robić. Z Tym od Joli wszystko było jasne, po prostu nie mogłam już z nim być ani chwili dłużej. Ale na myśl, że mogę stracić Adama, ogarniała mnie absolutna martwota. Już go straciłam. Przypomniałam sobie wszystko – to nagłe zaprzyjaźnianie się Renki, te niedomówienia, to: „Jak będzie chciał cię zdradzić, to się nie zorientujesz, zadbaj o siebie, każdy facet to pies na kobiety". Przypomniałam sobie, jak chętnie wysłał mnie na wieś z Ulą i jak Artur wracał późno do domu. I jak Renka wypytywała, czy może zadzwonić do niego do radia.

Czy ja całe życie będę taką idiotką? A te cholerne jego buty, utytłane w czerwonym błocku? Tylko w jednym miejscu, w tej cholernej dziurze koło Renki, jest taka czerwona glina. A ja mu jeszcze te buty prałam! I żona Konrada, która myślała, że jestem ruda. Bo go widziała z rudą, dlatego była zaskoczona. Albo Konrad ich widział razem i powiedział żonie: „Adam ma fajną rudą dupę". Mój Adam.

Nie mój Adam. I dlatego było mu obojętne, jak wyglądam, mogłam sobie być gruba. Miał szczupłą i rudą. Nie wiem, co robić. Nie ma bajek na świecie, jest tylko rzeczywistość. Nie ma monogamii, są zdrady. Każdy zdradzi zawsze każdego. Niedobrze mi, jak o tym pomyślę. Może powinnam się zachować tak, jak radzę w listach. Nie podejmować decyzji pod wpływem emocji. Renka jest idealną kandydatką na niezobowiązującą kochankę – nie ma dzieci, za to ma ciężko pracującego męża, którego nic nie obchodzi, co ona robi. A ja? Z Tosią? Wiecznie między młotem a kowadłem? Renka się nieźle urządziła. I Renka wcale nie chce wyjść za mąż, bo ma męża. I Renka na pewno się nie rozwiedzie i nie postawi go w niezręcznej sytuacji, i nie wyłażą z niej chciejstwa na trwały i dobry związek. Trzeba to przetrzymać. Po prostu mają romans. Sam seks. Seks jest nieistotny. Dobry związek przetrwa. Ludzie popełniają błędy. I Adam popełnił błąd. Gdyby nie chciał być ze mną, toby nie był.

Jak jest? Po tej rudej dziwce? Pęknie mi serce. Nie mogę o tym myśleć.

Pamiętaj, że kochasz

I więc zrobiłam to, co robią najgłupsze kobiety świata. Sprawdziłam go, pojechałam do żony Konrada. Przyznała się, że widziała Adama, dawno temu, przed wakacjami z jakąś rudą pindą, atrakcyjną (nie przeczę), młodziutką (tu przesadziła), niósł za nią jakieś torby. Tak jak Ten od Joli za Jolą. To nie pędzel do golenia w łazience świadczy o związku, ale noszenie bagaży za kobietą.

Więc niech bierze swoje i idzie. Nie będę się musiała wyprowadzać, zaczynać wszystkiego od początku, budować domu, dbać o siebie. Poradzimy sobie z Tosią. Zawsze sobie musiałam radzić sama. Powiem mu o tym cholernym koncie, spłacę w końcu te pieniądze, najwyżej sobie poczeka. Przynajmniej ja będę uczciwa w tym całym bagnie, w które wpadłam.

Wsiadłam do kolejki. Niechętnie. Po raz pierwszy wracam do domu niechętnie. Pada deszcz, zaczęła się prawdziwa jesień. Okna, których nie można było otworzyć w lecie, teraz nie dają się zamknąć. Wieje wiatr i moknie siedzenie obok. Smutno. Szaro.

Zwykle pocieszałam się tym, że przynajmniej w mojej pięknej ojczyźnie nie ma wulkanów, huraganów i trzęsień ziemi, ale okazało się, że ja żyłam pod wulkanem, i niepotrzebne mi są trzęsienia ziemi, jeśli obok mieszka taka Renka. Ale umówmy się, jak nie ta, to byłaby inna. I nie ona mi obiecywała szczerość i miłość.

Jadę więc sobie kolejką i myśli mam niewesołe. Na dodatek siada koło mnie dwóch mężczyzn, bardzo, ale to bardzo wczorajszych. A może nawet przedwczorajszych. Przetrwawiony alkohol zmieszany ze świeżym piwem to mieszanka druzgocąca dla mojego nosa. Nie dość, że tłum ludzi, nie dość, że obok mnie w przejściu leży rottweiler (co prawda w kagańcu), nie dość, że deszcz za oknem, słońca ani widu, ani słychu, do następnego lata daleko – to jeszcze żyć mi się nie chce.

I tak mi się żyć nie chce i nie chce, czwartą już stację, dobrych dwanaście minut, kiedy rottweiler wychodzi razem ze swoim panem. Pierwsza optymistyczna rzecz tego dnia. Na następnej stacji wysiadło trochę ludzi, zrobiło się luźniej, ale panowie wczorajsi siedzą obok i nie mogę udawać, że ich nie widzę, nie słyszę, nie czuję. Choć nie jestem z miasta. Siedzę cierpliwie, patrzę w okno. Ale do moich uszu dochodzą strzępki rozmów panów wczorajszych.

I pan do pana mówi:

– A co jej powiesz?

– Nie wiem – głos drugiego pana brzmi smutno.
– A ty?

– Ja też nie wiem – mówi pan pytający uprzednio.

– Może prawdę?

– Nie zrozumie.

– To wymyśl coś...

– Co ja tam mogę wymyślić... – poskarżył się pierwszy pan.

Udaję, że na nich nie patrzę, bo co mnie w końcu obchodzi dwóch panów wczorajszych, skoro w ogóle wszystko sprzysięgło się przeciwko mnie. Ale przecież uszu nie zamknę i, chcąc nie chcąc, uczestniczę biernie w tej rozmowie.

– Jak zmyślę coś, to mi już nigdy nie uwierzy – kończy pierwszy pan.

– No – potakuje drugi. – Lepiej nie kłamać. Jak się zacznie kłamać, to potem końca nie widać.

– No – potwierdza pan pierwszy. – Nie lubię kłamać.

Panowie milkną, a ja jestem ciekawa, co im wpadnie do głowy. Zawsze można się czegoś w środkach komunikacji podmiejskiej nauczyć.

– A kochasz ją?

– Najbardziej na świecie – mówi pan drugi, a głos jego jest smutny jak to, co widzę za oknem.

– Człowieku! – pan pierwszy z radości aż podniósł głos. – To, człowieku, czym się martwisz? Najważniejsze to kochać! Jak wiesz, że ją kochasz, to wszystko będzie dobrze! – I nachyla się do pana pierwszego, nie słyszę, co mu tłumaczy, ale aż macha rękami.

Za oknem szaro, do mojego domu jeszcze trzy stacje – pierwszy pan się podnosi – nie wygląda jak degenerat, gorzej o nim świadczy zapach niż ubranie, i żegna się z panem drugim. Wysiada z wagonu, kolejka rusza, a pan drugi wychyla się z tego okna, co go nie można zamknąć, i krzyczy do niego:

– Tylko nie zapominaj, że ją kochasz! O tym pamiętaj!

Potem domyka jakimś cudem to okno i na następnej stacji wysiada.

A potem wysiadam ja.

Nic się na świecie nie zmieniło. Było tak samo szaro i deszczowo. Zimno. I do lata wciąż prawie cały rok. I Adam nie pamiętał, że mnie kochał. Może mnie nie kochał? Może jest niezdolny do miłości? Ale ja na pewno umiem kochać. I będę o tym pamiętać. Przez to, że jakiś facet okazał się zwykłym złamasem, nie dam się wpuścić w kanał, z którego życie będzie wyglądało jak kupa gnoju. Nie. Tym razem nie. Nie będzie tak jak po Tym od Joli. Nie zniszczy mnie żaden mężczyzna!

Wchodzę do domu, pies rzuca się na mnie, w ogóle nie zauważając, że mam w ręku torby z zakupami, w kuchni niepozmywane, córka moja siedzi przed telewizorem i zajada pizzę. Na końcu języka mam awanturę. Bo siedzi w domu od Bóg wie jak dawna, a ja tutaj i tak dalej. I oto staje mi przed oczyma pan drugi i słyszę jego zachrypnięty głos: „Nie zapominaj, że ją kochasz!"

Odkładam torby z zakupami i witam się z tym durnym psem, który mnie kocha nad życie. Potem idę do pokoju i witam się z Tosią. Skoro ją kocham, nie będę zaczynać od pyszczenia.

– Zostawiłam ci pizzę w piekarniku – oznajmia moja córka. – Przed chwilą wróciłam.

Zjadam pizzę. Naczynia w zlewie. Nie ucieczą – to przynajmniej jest pewne.

„Nie zapominaj, że ją kochasz" – prześladuje mnie w dalszym ciągu. Adam dzwoni, że trochę się spóźni, wróci koło ósmej, chciałby, żebym jednak znalazła czas, z nim pogadała, czy mogę nie umawiać się z Ulą, Renką... Pierwszy raz coś takiego mówi. Więc dobrze, tak się kończy związek między ludźmi koło czterdziestki. Zresztą jaki to związek, nawet nie byliśmy małżeństwem. Nie jestem zła, jestem tylko smutna. Po południu dzwonię do brata, który mieszka czterysta kilometrów stąd.

– Czy coś się stało? – słyszę jego przerażony głos i uświadamiam sobie, że zwykle dzwonię do niego z okazji świąt, imienin albo urodzin, albo... Jednym słowem, nie dzwonię do niego bez powodu – bo po co. Jakbym nie pamiętała, że go kocham.

Pogadaliśmy chwilę o niczym, bardzo przyjemnie, potem umyłam naczynia, a moja córka zabrała się do porządków w łazience. Zadzwoniłam do Uli, teraz mogę jej powiedzieć, jak bardzo się myliła co do Adama, ale okazało się, że Mańka po nią przyjechała wczoraj wieczorem i zabrała na trzy dni do Krasnegostawu, do przyjaciół, na chmielaki – pyszne święto piwa.

— Ty nie pojechałeś? – pytam Krzysia.

— Mam do skończenia projekt na jutro, ale wpadnę do was wieczorem – zapowiada Krzyś i nawet nie mogę mu powiedzieć, że do nas już nigdy nie wpadnie.

Wpadnie do mnie. Do Tosi. Do nas – czyli do mnie z Tosią. A on miał na myśli Adama. A potem dzwoni telefon.

— Chcę potwierdzić rezerwację na lot numer...

— Pomyłka! – mówię o wiele za głośno i mam ochotę zlikwidować telefon, zmienić numer, nie chcę zajmować się wywożeniem szamba, potwierdzaniem rezerwacji, nie chcę rozmawiać już nigdy w życiu z nikim.

Nigdy w życiu

Adam przyjeżdża o ósmej. Witam się z nim, a potem proszę Tosię, żeby nam nie przeszkadzała. Adam trzyma w ręku czteropak piwa, chce sobie otworzyć, ale proszę również, żeby nie otwierał. Nie będzie przecież prowadził po alkoholu.

Siada naprzeciwko mnie, zamykam drzwi do przedpokoju, Borys kładzie się pod stołem. Robi się duszno. Adam na mnie patrzy poważnie, a ja wiem, że nie mogę zacząć od pretensji do niego, najpierw muszę wytłumaczyć, co zrobiłam, on niech się nie tłumaczy, wszystko postanowione, trzeba tylko załatwić formalności.

– Chciałam ci powiedzieć, że wzięłam nasze dziesięć tysięcy, na koncie jest tylko dwa i pół, oddam resztę, jak tylko zarobię, ale to może potrwać – wyrzucam z siebie jednym tchem, jest mi wszystko jedno, chcę to już mieć za sobą.

– Wiem – mówi Adam i oddycha z ulgą. – O Jezu, już się martwiłem, że mi o tym nigdy nie powiesz! Wytłumaczysz, co się stało?

Gdyby mnie kochał... Boże... Tacy moglibyśmy być szczęśliwi. Ale on nawet się nie zdenerwował.

– Przepraszam cię. Ostapko zaproponowała mi interes, nie chciałam ci o tym mówić. Okradła mnie. Ale nie musisz się martwić, ja ci te pieniądze zwrócę.

A potem dociera do mnie, że wie. Skąd on może wiedzieć?

– Głupolku – mówi Adam i gdyby nie to, że wiem, że jeszcze czulej mówi do innej, rozpuściłabym się jak wosk – przecież ja wziąłem zlecenia w tym radiu po to, żebyś się nie zabijała.

I widzi mój wzrok, podchodzi, chce mnie objąć, odsuwam się, jest zdziwiony, nie wie, że ja również wiem.

– Skąd wiesz? – pytam, ale jest mi to właściwie obojętne.

– Jak wyjechałaś do Berlina, Szymon potrzebował pilnie na wyjazd, byłem w banku, no i...

– Nie zapytałeś mnie, dlaczego zdefraudowałam nasze pieniądze? – głos mój brzmi martwo.

Co on jeszcze wymyśli, żeby okazać się takim wspaniałym człowiekiem?

– Nie... – Adam odpowiada z wahaniem. – Jesteś dorosła, wiesz, co robisz. Widać miałaś swoje powody, żeby mi o tym nie mówić.

Aha. To tak. Ludzie dorośli żyją ze sobą, ale mogą mieć powody do nieszczerości, ukrywania przed drugą osobą ważnych rzeczy, do kłamstw, oszustw. Na tym polega ta dorosłość. Że ja mogę ukraść nasze pieniądze, a on może sypiać z moją koleżanką. Dziękuję.

– I nie byłeś ciekaw?

– Gdybyś chciała, tobyś mi powiedziała, prawda?

– Dałam się nabrać Ostapko. Oszukała mnie. Nie odda tej forsy, musisz poczekać, aż zarobię, a to może potrwać – powtarzam.

– Oj, Jutka – mówi Adam, a jego głos jest dalej aksamitem podszyty. – To może na drugi raz cokolwiek mi szepnij. Z takimi cudownymi interesami bardzo trzeba uważać. Ale poradzimy sobie.

Judasz. Nie chcę go słuchać, chcę, żeby zapakował swoje rzeczy, wyszedł i nigdy nie wrócił.

– Nie musisz się martwić, bo...

Domofon zaczyna dzwonić jak oszalały. Borys staje przy drzwiach, wyje. Adam podnosi się.

– Ja też ci chciałem coś powiedzieć już od jakiegoś czasu, ale tak mnie unikałaś... – Adam odwraca się od drzwi. – Zapraszałaś kogoś?

Wtulam głowę w ramiona. Jaka szlachetność. Jaka troska o mnie. Jaka wyrozumiałość. To życie może mnie już tylko brzydzić. Wszystko jest podszyte fałszem.

Wtedy słyszę radosne głosy w przedpokoju i włos mi się jeży na głowie. Renka i Artur. Jak śmie tu przychodzić?

Podrywam się na równe nogi i ogarnia mnie fala wściekłości. Nie będę nad sobą panować, nie muszę być cudowną, wyrozumiałą, szlachetną idiotką! Wszystko im wykrzyczę! Może Artur nic nie wie, to się dowie. Renka wbiega do pokoju z bukietem kwiatów i mnie, osłupiałej, te kwiaty wręcza:

– Włóż do wazonu, to dla Adama, ale on nie wie, gdzie jest jakiś wazon! Tak się cieszę! Tak się cieszę!

Słupieję. Bezczelność ma swoje granice, które właśnie zostały przekroczone o jakieś trzy tysiące kilometrów.

A potem w drzwiach pojawia się Artur, jakiego nie widziałam nigdy. Błyszczące oczy, ręką poklepuje Adama po plecach, w drugiej ręce trzyma szampana. Wyciąga rękę z szampanem w moim kierunku.

– Będziemy świętować, można powiedzieć, stary, że zostałeś ojcem naszego dziecka!

Kolana uginają się pode mną. Czy ja tkwię w jakimś filmie amerykańskim? Artur, mąż Renki, przychodzi do mnie z szampanem, żeby świętować ojcostwo swojego kumpla ze swoją niewierną żoną, w towarzystwie oszukanej towarzyszki życia przyszłego ojca?

– Daj kieliszki, Jutka, strasznie się cieszę – mówi Adam i rzeczywiście oczy mu się śmieją. Renka zarzuca Adamowi ręce na szyję. Artur stoi obok i ma minę, jakby miał ochotę zrobić to samo. Robi mi się niedobrze. Zrywam się i biegnę do łazienki, roztrącając całe towarzystwo. Nachylam się nad umywalką i opłukuję

twarz zimną wodą. I wtedy czuję na ramieniu do-
tknięcie dłoni. Nie zamknęłam drzwi. W lustrze widzę
niespokojną twarz Renki.

— Co ci jest, Jutka? Tak strasznie zbladłaś...
— Jesteś w ciąży? — pytam cicho.

Renka siada na brzegu wanny.
— Źle się czujesz?

Nie będzie mi odpowiadała pytaniem na pytanie!
— Dobrze. Jesteś w ciąży z Adamem?

Renka patrzy na mnie ze zdumieniem, a potem
zanosi się śmiechem. Doprawdy, bardzo śmieszne,
bardzo.

— Ju... Jutka — mówi, a nikt do mnie tak nie ma
prawa mówić, oprócz Uli i Adama, a teraz już tylko Uli
— czy ty... czy ty... zwariowałaś?

I tam, w tej łazience, dowiaduję się wszystkiego.
Jak Renka od lat się leczyła, bo bardzo chciała mieć
dzieci. Ten dom po to na wsi wybudowali, żeby zmienić klimat, powietrze, pozbyć się stresów. Leczy się od
dziesięciu lat. Nie mówiła, bo my z Ulą to o dzieciach
bez przerwy, a jej się serce krajało na drobne kawałki.
I była obca. I Artur zaczął się od niej odsuwać, jak mu
powiedziała po przeczytaniu listu u mnie, listu, który
przyszedł do redakcji, żeby się zbadał. Bo Artur nie
chciał się zbadać. Ale skoro ja odpisałam, żeby tamta
babka namówiła jakiegoś przyjaciela, to ona postanowiła namówić Adama, żeby porozmawiał z Arturem,
że przecież Adam to prawie jak psycholog, czyli lekarz. I Adam się z nim spotkał. I okazało się, że to

Artur powinien brać jakieś leki, i że właśnie jest świetnie, bo od trzech tygodni jest w ciąży, a dzisiaj byli na USG, i widać, widać maleństwo, i przyszli podziękować Adamowi, który jest fantastyczny i który zostanie ojcem chrzestnym, i ja mogę zostać matką chrzestną, i są tacy szczęśliwi!

W głowie mi się kołuje, ale przecież Renka musiała bywać z Adamem w Warszawie.

– Nigdy nie byłam z nim w Warszawie, zwariowałaś? – mówi Renka. – Przecież bym się głupio czuła wobec ciebie.

Ale ja wszystko muszę wyjaśnić do końca. A to cholerne Jungle Kenzo Słoniowe?

– Nie używam tych perfum, mogę ci je dać – mówi Renia i ciągnie mnie do pokoju.

– Adam, z jaką rudą kobietą widziała cię żona Konrada? – pytam od drzwi. Artur wzrok ma przestraszony. Nikt nie lubi uczestniczyć w awanturach domowych. Adam patrzy na mnie zdziwiony.

– Ja z rudą?

– Żona Konrada mi powiedziała!

– Aaaa – Adam się rozjaśnia. – Z Tosią. Spotkaliśmy ją na dworcu, kiedy Tosia jechała nad morze.

Czuję się jak sterowiec, z którego wychodzi hel. Za chwilę spadnę i rozbiję się na amen. No jasne, przecież Tosia wtedy była ruda, przez jakieś trzy tygodnie.

– A te perfumy? Jak przyszedłeś w nocy? Śmierdziałeś Kenzo! – Nie zwracam uwagi na ich przerażone spojrzenia, biegnę do szafki, otwieram paczuszkę z perfumami, którą mam dostać na Gwiazdkę od siebie, otwieram i podsuwam pod nos Adamowi.

– Tym!

– Piękny zapach. U nas w radiu pachnie tym Mariolka.

– Piękny zapach! Śmierdziałeś tym jak...

Adam podnosi ręce do uszu i patrzy na mnie, podnosząc brwi. Wystarczy. Wtedy przypominam sobie, jak wyglądają słuchawki do nagrań. Grube, kosmate puchatki. Jeśli kobieta jest mocno poperfumowana, nie ma szans, żeby nie przeszły perfumami. Żaden zdradzający facet nie będzie pachniał cudzym zapachem. Umyje się choćby w kałuży, jeśli nie chce, żeby inna kobieta się nie dowiedziała o zdradzie. A on przyszedł i sobie pachniał.

Opadam na fotel, Adam robi minę do Artura: *sorry*, stary, ale te kobiety. Nie mam pretensji. A potem słyszymy pukanie w szybę i Adam otwiera drzwi na taras. Krzyś wchodzi i uśmiecha się szeroko.

– Co świętujemy?

– Nasze dziecko – mówi Artur i obejmuje Renkę.

Ależ oni tworzą śliczną parę! Potem dzwonimy do Isi i Agaty, Tosia schodzi z góry, Adam nalewa wszystkim po odrobinie szampana. Bo to jest okazja, w której nawet siedemnastoletnie dzieci mogą, a nawet powinny uczestniczyć. I nagle gwarno i wesoło robi się w naszym dużym pokoju, który wcale nie jest duży. Adam kiwa głową z niedowierzaniem, ilekroć spotykamy się wzrokiem.

– Zaskakujesz mnie zupełnie! – mówi cicho, kiedy podchodzi do mnie z szampanem. – Nie wiem, czy kiedykolwiek za tobą nadążę. Ty naprawdę myślałaś, że Renka i ja? Dziecino słodka, jakbym chciał...

Ale ja wcale nie chcę słuchać, co by zrobił, gdyby chciał.

Isia podnosi swój kieliszek i patrzy na ojca.

– Jestem nieletnia, poisz nas alkoholem, wszystko powiemy mamie.

– No! – cieszy się Agata i wypija swój przydział.

– Za nowe życie – wznosi toast Krzyś, wychyla kieliszek, a potem zwraca się groźnym tonem do swoich córek. – Otóż od dzisiaj są nowe rządy. Męskie, nie babskie. To ja noszę spodnie w tym domu, zrozumiano! I już nigdy nie będzie inaczej!

Tu Agata odstawiła swój kieliszek na stół i przerwała ojcu.

– Tato, ale...

– Nie wtrącaj się, jak mężczyźni rozmawiają! – krzyknął Krzyś i zrobił bardzo groźną minę.

– Ale czy mama o tym wie? – Agata spojrzała na ojca i uśmiechnęła się.

– Ktoś jej będzie musiał o tym powiedzieć. Ale nie ja. Ja się boję – parsknął śmiechem Krzyś.

Patrzyłam na twarze przyjaciół w moim własnym domu, na dziewczynki, Isię, Tosię i Agatę, wszystkie od dwóch dni mają ten sam kolor włosów, chyba jakiś fioletowawy, na świetlistą Renię i szczęśliwego Artura, Krzysia, który wziął gitarę do ręki, Borysa, który siedział, pilnie wpatrując się w Adama, na Zaraza i Potemka, które siedziały na parapecie i chciały natychmiast wyjść do ogrodu, i pomyślałam sobie, że jestem najszczęśliwszą z kobiet. Pod warunkiem oczywiście, że o tym pamiętam i nie wpadam w kanał.

Ale wieczorem, kiedy po raz pierwszy od tygodni mogłam się bezpiecznie przytulić do Adaśka, usłyszałam:

– Jutka, ale ja ci też chcę coś powiedzieć. Musimy się rozstać.

Przed oczami przewędrowała mi Anna Karenina, udająca się na dworzec, córka gondoliera z sześcioma palcami, machająca z Canale Grande, Agata rzucająca się pod tramwaj, Julia wbijająca sobie sztylet w ciało, bo oczywiście Romeo sam wychlał całą truciznę i nic jej nie zostawił, naga Małgorzata na świni, a potem spokojnie, nie odsuwając się od niego, zapytałam:

– Dlaczego?

– Dostałem propozycję półrocznego stypendium w Chicago. To dla mnie nieprawdopodobna okazja zawodowa. Chcę pojechać. Mam już rezerwację...

Zdecydował beze mnie, no cóż, nie musi się ze mną liczyć, nie jestem nawet jego żoną.

I wtedy wiem, że go kocham, bo spod spodu, od serca, ogarnia mnie radość. Wiem, że zawsze był zafascynowany chicagowską szkołą socjologii. Czuję, że musi być absolutnie szczęśliwy, i cieszę się, że mam koło siebie szczęśliwego człowieka. Przytulam się do niego mocno, a Niebieski mnie obejmuje i żadne słowa nie są już potrzebne.

– Ale przedtem chciałem cię o coś zapytać. – Adam szepcze mi to prosto w ucho. – Rozmawiałem o tym z Szymonem i z Tosią... Czy potem, jak wrócę... moglibyśmy się zastanowić... czy ty byś się mogła zastanowić... – Niebieskiemu pierwszy raz, odkąd go poznałam, plącze się język – ...jednym słowem, czy nie czas, żeby na skrzynce na listy widniało nasze wspólne nazwisko?

Leżę nieruchomo i nie wiem, co mam odpowiedzieć. Wiem, że pojedzie i powinien jechać. To, że jesteśmy razem, nie powinno w żaden sposób ograniczać żadnego z nas.

Ale ślub? Czy to konieczne? Przecież po ślubie zaczynają się same kłopoty.

– I będę miała serce na temblaku? – wyrywa mi się niechcący.

– Dziecinko, ty masz teraz serce na temblaku. Ja nie jestem tamtym facetem. Tobie mogłaby pomóc w tej sprawie tylko terapia, ale to twoja decyzja, nie będę cię namawiał. To kwestia projekcji i przeniesień. Zrobisz sobie z tym, co chcesz. I tak się bardziej męczysz niż ja, skoro bez przerwy porównujesz i boisz się zaryzykować. I pewno tak samo bałabyś się terapii, żeby zrobić z tym porządek.

Ja się boję? Czego tu się bać? Małżeństwa? A po co mi małżeństwo? Po co mi ślub? Nigdy w życiu. Na pewno.

Nie, chyba nie.

Dobrze nam jest, tak jak jest.

I trzeba by zrobić duże przyjęcie. Zaprosić Grześ-ków, Ulę, Krzysia, Renkę z Arturem, Mańkę, w ogóle nie wiem, co u niej słychać, całą redakcję i Naczelnego. Terapia? A na cholerę mi terapia? Dlaczego on myśli, że mnie nie stać na terapię? Ja się boję? Czy Tosi powinien towarzyszyć Jakub? A z kim przyjedzie Szymon? Terapia... Ciekawe... Ja mu jeszcze pokażę...

Ślub? Za pół roku?... To kupa czasu...

Pomyślę o tym pojutrze.

Spis treści